T. Marin
S. Magnelli

C000259738

PROGETTO ITALIANO 2

Corso di lingua e civiltà italiana

IV edizione
(modifiche/aggiornamenti a p. 160)

Livello intermedio - medio

Libro dei testi

EDILINGUA

www.edilingua.it

T. Marin ha studiato lingua e filologia italiana presso le Università degli Studi di Bologna e Aristotele di Salonicco. Attualmente sta concludendo il Master Itals (didattica dell'italiano) presso l'Università Ca' Foscari di Venezia. Ha maturato la sua esperienza didattica insegnando presso varie scuole d'italiano. È autore di diversi testi per l'insegnamento della lingua italiana: *Progetto italiano 1, 2 e 3* (libri dei testi), *La Prova orale 1 e 2*, *Primo Ascolto*, *Ascolto Medio*, *Ascolto Avanzato*, *l'Intermedio in tasca*, *Ascolto Autentico*, *Vocabolario Visuale* e *Vocabolario Visuale - Quaderno degli esercizi* ed ha curato la collana *Video italiano*. Ha tenuto varie conferenze sulla didattica dell'italiano come lingua straniera e sono stati pubblicati numerosi suoi articoli.

S. Magnelli insegna lingua e letteratura italiana presso il Dipartimento di Italianistica dell'Università Aristotele di Salonicco. Dal 1979 ad oggi si occupa dell'insegnamento dell'italiano come L2; ha collaborato con l'Istituto Italiano di Cultura di Salonicco, nei cui corsi ha insegnato fino al 1986; da allora è responsabile della progettazione didattica di Istituti linguistici operanti nel campo dell'italiano L2. È co-autore di *Progetto italiano 1, 2 e 3* (libri degli esercizi)

© Copyright edizioni EdiLingua
www.edilingua.it
e-mail address: info@edilingua.it
via Moroianni, 65 12133 Atene
Tel./fax: +30-210-57.33.900

IV edizione: settembre 2003
Impaginazione e progetto grafico: EdiLingua
Registrazioni e post produzione: *Studio Echo*
I.S.B.N. 960-7706-09-9

Sentiamo il bisogno di ringraziare i tanti colleghi che, con le loro preziose osservazioni sull'edizione precedente, ci hanno permesso di migliorare, speriamo, quella nuova. Inoltre, gli amici colleghi che, provando questo materiale in classe, ne hanno indicato la forma definitiva.

ai nostri cari

edizioni EdiLingua

Progetto italiano 1 T. Marin - S. Magnelli
Corso di lingua e civiltà italiana. Livello elementare

Progetto italiano 2 T. Marin - S. Magnelli
Corso di lingua e civiltà italiana. Livello intermedio - medio

Progetto italiano 3 T. Marin - S. Magnelli
Corso di lingua e civiltà italiana. Livello medio - avanzato

Video italiano 1 A. Cepollaro
Videocorso italiano per stranieri. Livello elementare - pre-intermedio

Video italiano 2 A. Cepollaro
Videocorso italiano per stranieri. Livello medio

Video italiano 3 A. Cepollaro
Videocorso italiano per stranieri. Livello superiore

La Prova orale 1 T. Marin
Manuale di conversazione. Livello elementare

La Prova orale 2 T. Marin
Manuale di conversazione. Livello medio - avanzato

.it D. Forapani
Internet nella classe d'italiano - Attività per scrivere e parlare (CD-ROM)

Vocabolario Visuale T. Marin
Livello elementare - pre-intermedio

Vocabolario Visuale - Quaderno degli esercizi T. Marin
Attività sul lessico - Livello elementare - pre-intermedio

Diploma di lingua italiana A. Moni - M. A. Rapacciuolo
Preparazione alle prove d'esame

Scriviamo! A. Moni
Attività per lo sviluppo dell'abilità di scrittura. Livello elementare - intermedio

Sapore d'Italia M. Zurula
Antologia di testi. Livello medio

Primo Ascolto T. Marin
Materiale per lo sviluppo della comprensione orale. Livello elementare

Ascolto Medio T. Marin
Materiale per lo sviluppo della comprensione orale. Livello medio

Ascolto Avanzato T. Marin
Materiale per lo sviluppo della comprensione orale. Livello superiore

l'Intermedio in tasca T. Marin
Antologia di testi. Livello pre-intermedio

Premessa

Il successo del primo volume di questo corso ed i commenti di chi l'ha usato hanno praticamente confermato le scelte fatte e compensato, si può dire, le infinite ore di lavoro dedicate alla sua creazione. D'altra parte, questo ci ha investito di maggiori responsabilità: *Progetto italiano 2* doveva essere all'altezza del suo fratello maggiore e, se possibile, doveva superarlo. Questo è stato il nostro obiettivo e voi, i suoi utenti, deciderete se ce l'abbiamo fatta o meno.

Progetto italiano 2 è forse qualcosa di nuovo, appunto perché non si è sforzato di esserlo: la parola che meglio rispecchia la filosofia dietro ogni scelta didattica è "equilibrio". In altri termini, abbiamo cercato di dare tutto quello che era necessario, ma nelle giuste proporzioni, prendendo in considerazione quanto di positivo ogni approccio e metodo didattico ha apportato all'insegnamento delle lingue. L'unico sforzo del libro è di essere piacevole e di poter rendere la lezione interessante; e si sa che quando qualcosa si fa con piacere, la si fa bene.

La filosofia del secondo livello non presenta, dunque, grandi novità rispetto al primo: lingua moderna, situazioni comunicative "complete" e quanto più naturali possibile, sistematico lavoro sulle quattro abilità, presentazione della realtà italiana e dei suoi aspetti culturali, impaginazione moderna e accattivante. Insomma, oltre ad uno strumento didattico semplice ed efficiente, *Progetto italiano 2* ha l'ambizione di far innamorare dell'Italia chi ne studia la lingua; nello stesso tempo, di fornirgli tutte quelle nozioni che gli permetteranno di comunicare senza problemi in italiano.

Quel che cambia, invece, è il livello linguistico degli alunni che, dopo circa 100-120 ore di lavoro in classe con *Progetto italiano 1*, sono (speriamo bene!) in grado di affrontare testi, sia orali che scritti, più difficili. Per questo era inevitabile, anzi indispensabile, l'ampio uso di materiale autentico. Si è cercato, comunque, di non esagerare: i testi, che provengono da varie fonti allo scopo di presentare una vasta gamma di stili e registri, corrispondono ad una graduale crescita della difficoltà, oppure sono stati elaborati proprio per questo motivo. Altrettanto importante era la loro lunghezza, per cui il numero di parole (sia dei brani autentici che non) è stato sempre tenuto sotto controllo. Così, si spera che testi che non saranno magari tanto interessanti per qualche alunno, non diventeranno un tormento. Per questo motivo è stata mantenuta una certa distanza tra due brani. I testi si prefiggono anche un altro "nobile" obiettivo, oltre a quello puramente linguistico: vogliono dimostrare all'alunno che leggere un libro o un periodico italiano non è qualcosa di spaventoso, anzi, è una piccola sfida spesso molto divertente e piacevole.

La distanza tra due elementi simili vale anche per la grammatica: noterete che l'intero libro è un costante (ma, crediamo, non stancante) alternarsi di elementi strutturali e comunicativi/testuali. In tal modo il ritmo della lezione si rinnova continuamente e la grammatica non è al centro dell'attenzione, anzi. Quello che è importante è che l'alunno la scopri in modo induttivo, imparando quasi senza rendersene conto. Si cerca, quindi, di semplificare e di "smitizzare" la grammatica, mettendola in pratica anche attraverso varie attività comunicative. Attività che pongono ancora di più l'alunno al centro della lezione, protagonista di un "film" di cui noi insegnanti siamo registi. Noi sappiamo quel che bisogna fare perché il film abbia successo; restando dietro le camere (o le quinte, se volete), dobbiamo soltanto far da guida ai nostri attori, suggerire loro quando necessario, tirar fuori il meglio di loro, magari, a volte, recitando noi stessi. Ecco, *Progetto italiano 2* potrebbe esser visto come il copione su cui basare il vostro "film"...

I testi di "Conosciamo l'Italia" cercano di presentare in breve quegli aspetti culturali che "fanno" questo straordinario paese. Durante la loro stesura si è tenuto sempre in mente che ci si rivolgeva a persone che dell'Italia sanno poco; quindi troppi dettagli non avrebbero avuto senso. Scopo, inoltre, dei siti Internet elencati alla fine dei testi di civiltà, è quello di creare negli alunni il bisogno di "ricercare" l'Italia sul computer e aprire una finestra su un mondo che è e deve essere anche italiano...

Infine, un'altra novità rispetto al primo livello è la particolare attenzione che si dà alla tipologia degli esami di lingua di questo livello. Però, è chiaro che questo è un libro per l'insegnamento e non per la preparazione: sono due cose ben distinte, in quanto solo la prima può comprendere la seconda, ma non il contrario.

Come avete notato, in questa premessa non abbiamo voluto dare le solite "istruzioni d'uso". Voi, da bravi registi, sapete bene quello che dovete fare. Buon lavoro. Ciak, si gira...

Con profonda stima e rispetto per chi fa questo mestiere
Gli autori

Benvenuti a PROGETTO ITALIANO 2

Che cosa farete con questo libro:

- leggerete parecchi dialoghi, spesso (speriamo) divertenti.

- parlerete quanto più possibile: commenterete foto e testi, farete dei role-play, discuterete su vari argomenti di interesse generale. Così imparerete a comunicare più facilmente.

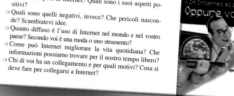

- leggerete molti testi autentici: articoli, brani letterari, pubblicità, testi umoristici, fumetti. Così, piano piano, vi preparerete anche per eventuali esami di lingua.

- ascolterete molti brani registrati. Per comunicare con gli italiani, bisogna prima capire che cosa dicono.

	sig. Rapetti	sig. Bertolio
città che visiterà		
data di arrivo		
data di partenza		
tipo di camera		
prezzo della camera per notte		
caratteristiche e servizi delle camere		

- conoscerete l'Italia. Attraverso testi e materiale autentico, verrete a contatto non solo con l'enorme cultura, ma anche con la realtà di questo straordinario paese.

- imparerete nuove parole, utili alla comunicazione scritta e orale, senza, però, avere l'ansia di memorizzarle e ricordarle tutte. Il vostro insegnante sa benissimo quello che vi deve insegnare, lezione per lezione. Tanto, ci saranno sempre parole sconosciute: è naturale.

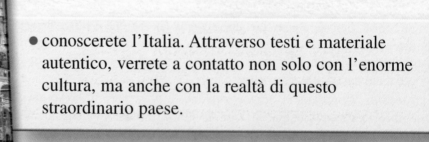

- **scriverete**: riassunti, paragrafi, lettere, temi. Chi scrive spesso, sicuramente migliora. Però, niente paura degli errori: "sbagliando s'impara"!

Ti dà fastidio se porto anche Lidia alla tua festa?

No, portala pure!

Senti, probabilmente stasera io non vengo con voi.

Fa' come vuoi! Tanto, per me è lo stesso!

- **imparerete** espressioni che vi permetteranno di comunicare senza problemi.

- **in modo sistematico e semplice** metterete in pratica nuove forme grammaticali, necessarie per parlare e scrivere in modo giusto. In più, ricorderete quelle che avete incontrato finora.

I pronomi combinati

Eva, mi dai un attimo il tuo dizionario? *(mi+lo)*	⇨	**Me lo** dai un attimo?
Ti devo portare la cassetta stasera? *(ti+la)*	⇨	**Te la** devo portare stasera?
Presterò a Luigi il mio motorino. *(gli+lo)*	⇨	**Glielo** presterò.
Chiederò a Elena questi libri. *(le+li)*	⇨	**Glieli** chiederò.
Ci puoi raccontare la trama del film? *(ci+la)*	⇨	**Ce la** puoi raccontare?
Vi consiglio le lasagne al forno. *(vi+le)*	⇨	**Ve le** consiglio.
A Gianni e Luca regalerò questi libri. *(gli+li)*	⇨	**Glieli** regalerò.
Farò vedere le foto ad Anna e Marta. *(gli+le)*	⇨	**Gliele** farò vedere.
Mi puoi parlare dei tuoi progetti? *(mi+ne)*	⇨	**Me ne** puoi parlare?
Le darò due copie del libro. *(Le+ne)*	⇨	**Gliene** darò due copie.

Nota: *Come potete vedere i pronomi indiretti alla terza persona (gli/le/Le) si uniscono al pronome diretto e, con l'aggiunta di una "e", formano con esso una sola parola (glielo, gliela ecc.)*

Progetto italiano 2 è un corso diverso. È un viaggio attraverso la lingua e la cultura italiana. Il suo scopo è farvi imparare in modo piacevole e divertente. Però, è necessario un po' di lavoro anche da parte vostra. Allora:

Buon lavoro e buon divertimento!

Ma prima conosciamoci meglio: ognuno può presentare in breve se stesso e dire:

- come si chiama
- quanti anni ha
- cosa fa (studi, lavoro ecc.)
- cosa pensa dell'italiano e che difficoltà ha affrontato finora

Un esame difficile

Matteo è al secondo anno di Lettere. A libro chiuso ascoltate il suo dialogo, prima con Angelo e poi con Stella; non è necessario capire ogni parola.

1 *Ascoltate di nuovo il brano e rispondete alle domande*

1. Matteo chiede aiuto al suo professore di letteratura.
2. Deve ridare un esame difficile.
3. Stella gli dà i suoi appunti.
4. Alla fine supera l'esame.

vero	falso

Matteo: Angelo, Angelo!

Angelo: Che c'è, Matteo? Perché gridi così?

Matteo: Finalmente ti trovo. Senti... ti volevo chiedere... tu l'esame di letteratura del '900 l'hai superato, vero?

Angelo: Sì, a pieni voti.

Matteo: Caspita! Bravo! Allora, visto che il periodo di esami è vicino mi servono assolutamente i tuoi appunti.

Angelo: Purtroppo non te li posso dare. Li ho già promessi a Stella. Anzi, glieli do fra un po', abbiamo un appuntamento.

Matteo: Porca miseria! E adesso che si fa?

Angelo: Da parte mia c'è poco da fare. Scusami, ma me lo dovevi dire prima. Perché non te li fai dare da lei?

Matteo: Hai ragione: farò proprio così!

...il giorno dopo:

Stella: Pronto!

Matteo: Buongiorno, Stella, sono Matteo; stai bene?

Stella: Matteo..., Matteo Baretti? Non ti ho riconosciuto subito. Come va?

Matteo: Bene, bene, a parte una cosa: la letteratura del '900.

Stella: La devi dare anche tu, eh?

Matteo: Sì, per questo ti telefono. So che Angelo ti ha dato i suoi appunti; me li potresti prestare?

Stella: Incredibile! Mi hanno appena telefonato Maria e Laura e mi hanno detto proprio la stessa cosa: "Ce li dai per un po'?". Quindi, ho dovuto darglieli. Ma me li riporteranno domani.

Matteo: Ah, meno male. Senti, a me serve assolutamente quella parte sul neorealismo. Non ne so proprio niente.

Stella: Ah, solo? Si tratta di poco più di trenta pagine. Queste te le posso dare, se prometti di restituirmele presto.

Matteo: Non ti preoccupare! Te le darò subito indietro. Grazie mille!

2 _Leggete il brano ad alta voce in modo quanto più "italiano" possibile, imitando magari la pronuncia e l'intonazione dei parlanti della cassetta_

3 _Rispondete prima oralmente e poi per iscritto (15-20 parole) alle domande_

1. Perché Matteo cerca Angelo? ....
....

2. Perché Angelo non lo può aiutare? ....
....

3. Perché Matteo si rivolge poi a Stella? ....
....

4. Che cosa gli risponde lei? ....
....

5. Come finisce la storia? ....
....

4 _Il giorno dopo Matteo incontra all'università una sua amica, Beatrice. Completate il loro dialogo con le parole date_

Matteo:	Siamo molto fortunati.	
Beatrice:	Perché lo dici? Cos'è successo?	*li*
Matteo:	Finalmente sono riuscito a trovare gli appunti di letteratura che cercavo.	*lo*
Beatrice:	Che bello! Chi .... darà?	
Matteo:	.... darà Stella. Sono quelli di Angelo. Ma .... sai che lui ha preso 30?	*te li*
Beatrice:	Possibile?! Ricordo che frequentava tutte le lezioni, ma secondo me non studiava tanto! Comunque, ... darai anche a me, no?	*glieli*
Matteo:	Ad essere sincero Stella non mi può dare tutto. .... darà solo una parte: le pagine sul neorealismo. Queste certo che .... darò.	*li*
		Me li
Beatrice:	Va bene, meglio poco che niente! Sai, anche Sabrina ha bisogno di appunti. Ti darà fastidio se .... do?	*te le*
Matteo:	No, affatto. Alla fine mi sa che tutta la facoltà studierà dagli appunti di Angelo! Io al posto suo .... venderei!!	*Me ne*

5 _In base a quanto avete letto scrivete un breve riassunto (40-50 p.) del dialogo introduttivo_

Ricordiamo un po' i pronomi diretti e indiretti

I pronomi diretti

Mi senti bene?
Non **ti** vedo molto allegro oggi.
Lo sapevi anche tu?
Ho visto Ilaria ma non **l'**ho saluta**ta**.
Professore, **La** ringrazio di tutto.
Nostra figlia non **ci** chiama spesso.
Ragazzi, ormai **vi** conosco molto bene.
Questi cd non **li** ho ancora ascoltat**i**.
Ma tu non **le** sapevi queste cose?

I pronomi indiretti

Cosa **mi** regali per il mio compleanno?
Ti piacciono le torte al cioccolato?
Gli dirò quel che è successo.
Le ho raccontato tutta la verità.
Signor Marini, **Le** chiedo scusa.
Ci ha mandato una cartolina.
Vi auguro un buon fine settimana.
Se li vedo stasera **gli** spiego tutto.
Quando le vedrò **gli** chiederò il perché.

I pronomi combinati

Eva, <u>mi</u> dai un attimo <u>il tuo dizionario</u>? (*mi+lo*)	⇆	**Me lo** dai un attimo?
<u>Ti</u> devo portare <u>la cassetta</u> stasera? (*ti+la*)	⇆	**Te la** devo portare stasera?
Presterò <u>a Luigi</u> <u>il mio motorino</u>. (*gli+lo*)	⇆	**Glielo** presterò.
Chiederò <u>a Elena</u> <u>questi libri</u>. (*le+li*)	⇆	**Glieli** chiederò.
<u>Ci</u> puoi raccontare <u>la trama</u> del film? (*ci+la*)	⇆	**Ce la** puoi raccontare?
<u>Vi</u> consiglio <u>le lasagne</u> al forno. (*vi+le*)	⇆	**Ve le** consiglio.
<u>A Gianni e Luca</u> regalerò <u>questi libri</u>. (*gli+li*)	⇆	**Glieli** regalerò.
Farò vedere <u>le foto</u> <u>ad Anna e Marta</u>. (*gli+le*)	⇆	**Gliele** farò vedere.
<u>Mi</u> puoi parlare <u>dei tuoi progetti</u>? (*mi+ne*)	⇆	**Me ne** puoi parlare?
<u>Le</u> darò due copie <u>del libro</u>. (*Le+ne*)	⇆	**Gliene** darò due copie.

Nota: *Come potete vedere i pronomi indiretti alla terza persona (gli/le/Le) si uniscono al pronome diretto e, con l'aggiunta di una 'e', formano con esso una sola parola (glielo, gliela ecc.)*

6 <u>*Guardando la scheda grammaticale di sopra formate frasi secondo l'esempio*</u>

Mi dai il tuo numero di telefono?
Sì, te lo do.

1. Per favore, dai questa lettera a Silvio?
2. Oggi mi offri tu il caffè, va bene?
3. Quando ci presenterai i tuoi amici?
4. Ma sei pazzo?! Regalerai a Sara un anello d'oro?!
5. Mi servono solo due bottiglie di vino.
6. Mamma, alla fine, ci dai il permesso o no?
7. Mi fai vedere la tua nuova giacca di pelle?
8. Avvocato, Le devo parlare di un mio problema.

GARDINI ALESSANDRO
VIA DEI POETI 24
35212 ROMA

PRIORITARIA

CARLUCCI SILVIA
VIA SANTO STEFANO 49
22475 BOLLATE (MI)

Nel *Libro degli esercizi* vedete n. 1 - 6

7 Scusarsi / rispondere alle scuse

- Amore, **scusami** del ritardo; non potevo trovare un taxi.
- **Non importa**; ormai mi ci sono abituata! Hai sempre una scusa pronta!

- Ieri non ti sei fatto vivo.
- **Chiedo scusa**, ma non stavo molto bene.
- **Figurati**!

- Signore, qui c'è la fila.
- **Mi scusi**, signora! Non l'avevo capito.
- **Prego**!

- Signora, **mi scuso** del comportamento di mio figlio; a volte non lo riconosco.
- **Non fa niente**! Capisco...

- Ma che maleducato!! Non **ha chiesto** nemmeno **scusa**!

8

Role-play

▷ **Sei A:** *scusati con B nelle seguenti situazioni:*

▷ **Sei B:** *rispondi ad A*

- ○ gli/le cadi addosso nell'autobus
- ○ hai dimenticato il suo compleanno
- ○ hai perso il libro che ti aveva prestato
- ○ senza volerlo lo/la offendi
- ○ gli/le dai un'informazione sbagliata
- ○ uscendo da un negozio gli/le dai una gomitata

Cercate di fare dialoghi quanto più completi possibile; datevi del tu o del Lei.

scusarsi	rispondere ad una scusa
scusami (...del ritardo)!	
scusa!	*figurati!*
scusa (...il ritardo)!	*(non fa) niente!*
mi scusi! (formale)	*si figuri! (formale)*
ti / Le chiedo scusa!	*(va bene) non importa!*
mi scuso di... (formale)	*ma che dici!*

Nel *Libro degli esercizi* vedete n. 7

9 *Leggete il dialogo tra Matteo, che abbiamo visto poco fa, e il suo professore durante l'esame orale di letteratura italiana e rispondete alle domande che seguono*

Prof. Giannini:	Allora, signor Baretti, questa è la seconda volta che sostiene questo esame, vero?
Matteo:	Sì.
Prof. Giannini:	Va bene... Dunque, cosa mi sa dire della letteratura contemporanea: autori, opere ecc.?
Matteo:	Eeeh..., professore, mi scusi, ma questo capitolo io non l'ho studiato affatto!
Prof. Giannini:	Ma come non l'ha studiato? Ve ne ho parlato più volte.
Matteo:	Davvero?! Non me l'ha detto nessuno!
Prof. Giannini:	Ma chi doveva dirglielo, signor Baretti?! In aula ci doveva essere Lei in persona! ...Andiamo avanti: ...Antonio Tabucchi.
Matteo:	Ma... professore, che Le posso dire? Nessuno me li ha fatti notare questi autori. Io non sapevo...
Prof. Giannini:	Nessuno glieli ha fatti notare?! Scusi, ma sicuramente non è colpa mia se nessuno dei Suoi compagni gliene ha parlato.
Matteo:	Ma non posso capire; io ho studiato in base agli appunti di Angelo.
Prof. Giannini:	Gli appunti di chi?
Matteo:	Angelo Buonafede. Lo conosce, no?
Prof. Giannini:	Ah, Buonafede, certo! Suo padre è un carissimo amico. Allora?
Matteo:	Niente professore, comincio a capire... Se mi permette, me ne vado...

1. Matteo non ha potuto rispondere alle domande perché:
   - ❏ a. erano troppo difficili
   - ❏ b. nessuno gliene aveva parlato
   - ❏ c. non le ha capite

2. Il professor Giannini si è arrabbiato perché Matteo:
   - ❏ a. non frequentava le sue lezioni
   - ❏ b. non ha studiato
   - ❏ c. ha tentato di copiare

3. Alla fine Matteo se n'è andato perché ha capito che Angelo:
   - ❏ a. non gli aveva dato gli appunti giusti
   - ❏ b. aveva superato l'esame non solo studiando
   - ❏ c. aveva copiato

- ○ Fate una breve presentazione dell'università nel vostro paese: sistema d'accesso, problemi, particolarità e in genere quello che sapete.
- ○ Come cambia la vita quando si diventa studenti? Come la immaginate?
- ○ In base a quali criteri sceglie una facoltà un giovane? Che alternative ci sono dopo la scuola? Spiegate.

I pronomi combinati nei tempi composti

-Chi l'ha detto a Flora?
-*Gliel'ha detto suo fratello.*

-Chi vi ha regalato questa cornice?
-*Ce l'ha regalata una mia cugina.*

-Quanti libri gli hai prestato?
-*Gliene ho prestati tre.*

-Quando ti hanno portato questi vini?
-*Me li hanno portati ieri.*

-Gianni ti ha presentato le sue amiche?
-*Sì, me le ha presentate tempo fa.*

-Quante lettere ti hanno spedito?
-*Me ne hanno spedite parecchie.*

Come vedete il participio passato concorda con il pronome diretto anche quando fa parte di un pronome combinato.

10 *Rispondete oralmente alle domande*

1. Chi ha dato il permesso al piccolo? (*io*)
2. Perché hai portato dei regali a Sonia e Teresa? (*sono mie amiche*)
3. Quanti fogli bianchi ti servono? (*dieci*)
4. Chi ha dato la macchina a Tommaso? (*suo padre*)
5. Quando ti ha restituito i soldi che ti doveva? (*stamattina*)
6. Vi hanno portato tutte le poltrone che avevate ordinato? (*no, solo due*)

Nel *Libro degli esercizi* vedete n. 8 - 12

11 **Esprimere sorpresa - incredulità**

◆ Finalmente a casa dopo due settimane a New York. Allora, sorellina, cos'è successo nella nostra piccola città?
◆ Vediamo se è cambiato qualcosa... ah, Marianna si sposa.
◆ **Possibile**?! Credevo che non si sarebbe sposata mai. Poi?
◆ Patrizio ha comprato la nuova *Alfa Romeo*.
◆ **Davvero**?! Ma dove cavolo li trova i soldi? Altro?
◆ Eh... Marco e Raffaella si sono lasciati!
◆ **Incredibile! Ma chi l'avrebbe mai detto**?
◆ E non solo: lei si è messa con Alberto.
◆ **Non ci credo**! Ma guarda quante notizie.
◆ Ce ne sono delle altre: il sindaco si è dimesso.
◆ **Caspita**! Come mai?
◆ Era coinvolto in uno scandalo a luci rosse!
◆ **Scherzi**?! **Chi l'avrebbe mai pensato**?
◆ Cos'altro? ...Ah, zia Silvana ha vinto al totocalcio!
◆ **Ma va**! Domani le farò una visita!
◆ Poi, un'ultima cosa: il tuo ex si è fidanzato!
◆ **Non me lo dire**! Va be'; tanto, ormai non me ne frega proprio!
◆ Vedi quante novità nella nostra piccola città?
◆ Ma quale piccola? Qua è peggio di New York!!!

LEI AMA LUI CHE AMA UN'ALTRA CHE AMA UN ALTRO CHE AMA UN'ALTRA...

L'AMORE È CONTAGIOSO.

sorpresa	incredulità
Davvero?!	*Incredibile!*
Possibile?!	*Non ci credo!*
Scherzi?!	*No!*
Ma va!	*Non me lo dire!*
Caspita!	*Non è vero!*
Chi l'avrebbe mai detto?	*Impossibile!*

12 ▷ **Sei A**: *reagisci alle notizie che annuncia B*

Role-play

▷ **Sei B**: *annuncia ad A le notizie che seguono; dove necessario usa espressioni come "hai sentito che...?", "lo sai che Dino...?" ecc.:*

   ○ un vostro amico ha divorziato
   ○ la vostra squadra ha perso di nuovo
   ○ una vostra conoscente ha avuto un incidente
   ○ un'amica si è finalmente laureata
   ○ i docenti universitari faranno uno sciopero
   ○ quest'anno le tasse d'iscrizione sono molto più alte
   ○ un caro amico ha vinto un milione di euro al casinò
   ○ hai perso gli appunti che A ti aveva prestato

> Ancora una sconfitta per la squadra torinese!
> **Juventus - Inter 0-1**

> Università: sciopero in vista
> **Esami a rischio!**

13 *Scrivete un dialogo simile a quello della pagina precedente (120-150 p.)*

> Nel *Libro degli esercizi* vedete n. 13

14 **Gli interrogativi** (I)

- Chi è quella ragazza?

- Chi sono quei tipi che ci guardano?

- Con *chi* sei uscito ieri?

chi?

- Di *chi* è questa penna?

- *Che* vuoi fare stasera?

- *Cosa* pensi di Alice?

- *Che cosa* prendi?

che?
che cosa?
cosa?

- Di *che cosa* ti occupi?

- *Cosa* stai guardando?

- *Che* significa questa parola?

- *Che* tempo farà domani?

- *Che* tipo è?

che?

- *Che* lavoro fa?

- *Che* giorno è oggi?

- *Che* bella ragazza! (esclamazione)

- Tra queste camicie *quale* preferisci?

quale?
quali?

- *Qual* è il tuo indirizzo?

- *Quali* sono i tuoi hobby?

- Con *quale* treno parti?

- *Quali* città vorresti visitare?

15 _Completate le domande con gli interrogativi che abbiamo appena visto_

1. .... hai regalato a tuo fratello?
2. Per .... motivo impari l'italiano?
3. .... è stato il momento più felice della tua vita?
4. .... era al telefono?
5. .... progetti avete per le vacanze?
6. Da .... dipende se vieni o no?

Nel *Libro degli esercizi* vedete n. 14 e 15

16 _L'articolo che segue descrive una situazione non molto insolita. Completatelo scegliendo tra_
le parole date e poi parlatene; non è importante capire ogni parola

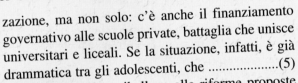

Dopo i licei, la protesta si estende agli atenei
Cominciano le occupazioni anche nelle università

Dopo i licei ....(1) forse il momento delle università. Mentre l'attenzione è concentrata sulle proteste negli istituti superiori, in almeno quattro atenei sono partite le occupazioni, anche se in forma limitata.

Ha iniziato ....(2) 2 dicembre la facoltà di Lettere dell'ateneo romano di Tor Vergata. Mercoledì è stata la volta delle facoltà di Lettere e Filosofia di Palermo e Lecce. A Siena invece, gli studenti ....
...................(3) la facoltà di Giurisprudenza denunciando la mancanza d'attenzione da parte delle autorità centrali; dicono di essere pronti a nuove forme di protesta non violenta.

È la terza volta ....(4) ultimi anni che gli studenti di Lettere di Tor Vergata si mobilitano. Questa volta si tratta di un centinaio di studenti che ha occupato la presidenza e l'aula 6 della Facoltà. Il motivo è sempre lo stesso, le scuole di specializ-

zazione, ma non solo: c'è anche il finanziamento governativo alle scuole private, battaglia che unisce universitari e liceali. Se la situazione, infatti, è già drammatica tra gli adolescenti, che ....(5) ribellano alle riforme proposte dal Ministro dell'Istruzione, non migliora con il proseguimento ....(6) studi all'università. Il problema ....(7) disoccupazione colpisce soprattutto i laureati e i problemi post-laurea (scuole di specializzazione, dottorati ecc.) sembrano infatti essere il filo conduttore delle diverse proteste. Gli studenti di Tor Vergata stanno cercando di estendere la ....(8) protesta alle altre università, dalle quali ricevono fax di solidarietà.

adattato da *la Repubblica*

1. a. arrivava   b. è arrivato   c. era arrivato
2. a. il   b. al   c. nel
3. a. hanno occupato   b. sono occupati   c. occupavano
4. a. di   b. dagli   c. negli
5. a. ne   b. si   c. li
6. a. degli   b. di   c. per gli
7. a. di   b. con la   c. della
8. a. nostra   b. loro   c. questa

○ Fate un breve riassunto orale del brano.
○ Esistono da voi situazioni come quella descritta nell'articolo?
    Siete pro o contro tali metodi? Scambiatevi idee e motivatele.

17   Gli interrogativi (II)

- Da *quanto* tempo studi l'italiano?

- *Quanto* costa il nuovo modello dell'*Aprilia*?

quanto/i?
quanta/e?

- *Quante* ore hai dormito?

- *Quante* volte ci sei andato?

- In *quanti* eravate ieri?

- *Quanto* l'hai pagato?

- *Quando* pensi di venire?

quando?

- *Quando* studi l'italiano?

- *Quando* vi siete sentiti?

- *Quando* andrai in vacanza?

- *Dove* hai comprato questo vestito?

dove?

- Di *dove* è Mauro?

- Da *dove* vieni?

- Sai *dov'*è la mia borsa?

- *Perché* frequenti questi ragazzi?

- Ma *perché* mi tratti così?

perché?

- *Perché* non mi hai chiamata?

18   *Completate le domande con gli interrogativi dati a fianco*

1. .... hai conosciuto Marcella?
2. Tu .... l'hai saputo?
3. Sai .... anni aveva quando si è laureato?
4. .... non hai detto niente a nessuno?
5. .... tempo rimarrai in Italia?
6. Amore, dimmi: .... hai nascosto i dolci?
7. Almeno sai .... pensano di sposarsi?
8. Mi ha detto che sarebbe andato via ma non so ....

quanti
dove
dove
quando
perché
quanto
quando
perché

Nel *Libro degli esercizi* vedete n. 16 - 18

19 Vocabolario (se necessario usate il vostro dizionario)

a. *Abbinate le professioni alle facoltà*

chirurgo	*Lettere*
dentista	*Ingegneria*
architetto	*Giurisprudenza*
insegnante di storia	*Psicologia*
insegnante d'inglese	*Medicina*
avvocato	*Lingue*
ingegnere	*Odontoiatria*
psicologo	*Architettura*

b. *Completate le frasi con le parole date*

> *dipartimenti, tasse, frequenza, prove, esami di ammissione,*
> *facoltà, libretto, matricole, tesserino, mensa*

1. In Italia l'ingresso nelle università è libero: non ci sono ....
2. Ogni università è divisa in .... che sono divise in ....
3. Gli studenti del primo anno si chiamano anche ....
4. Gli esami spesso comprendono sia .... scritte che orali.
5. In alcune facoltà la .... è obbligatoria.
6. Anche alle università statali bisogna pagare delle ....
7. Ogni studente ha il suo .... che riporta voti ed esami.
8. Gli studenti mangiano spesso alla .... mostrando il loro ....

20 Ascolto *(Libro degli esercizi, p. 14)*

21 Situazioni

1. Pensi di andare a studiare in un'altra città poiché lì la facoltà che hai scelto è considerata una delle migliori. Il problema è che il/la tuo/a ragazzo/a (B) è molto geloso/a e non ne vuole sapere. Tu (A) cerchi di spiegargli/le che non si deve preoccupare e che la distanza non è un problema per una relazione forte, come la vostra.

2. A scuola si discute dell'ultima gita dell'anno. Tu (A) proponi di andare in campagna, o magari al mare, mentre l'insegnante (B), come al solito, preferisce visitare un museo. Ognuno ha i suoi argomenti.

22 Scriviamo

Scrivi una lettera ad un amico italiano per annunciargli la tua decisione di andare a studiare a Milano spiegandogli i motivi. In più, chiedi informazioni sulla vita studentesca in Italia. (80-120 p.)

> **Fate il test finale dell'unità**

DOSSIER

Di MYRIAM DEFILIPPI · CONSULENZA DELLA PSICOLOGA PAOLA FEDERICI · DISEGNI DI PIERO CORVA

Ultimi giorni per le iscrizioni

Come scegliere la scuola superiore senza sbagliare

Gli studenti in terza media stanno per decidere quale istituto frequentare il prossimo anno. Spesso, però, hanno le idee confuse e si lasciano influenzare troppo dagli altri. Una guida per aiutarli a scoprire le loro attitudini. E i consigli ai genitori per capire meglio i figli

La scuola italiana

I genitori dei bambini italiani possono lasciare i loro figli all'**asilo nido** e poi, tra i 3 e i 6 anni, alla **scuola materna.** L'iscrizione non è obbligatoria.

La *scuola dell'obbligo* come è chiamata, comincia a 6 anni con la **scuola elementare** che dura 5 anni: i bambini imparano a leggere, a scrivere e apprendono nozioni di cultura generale.

I ...guai cominciano con la **scuola media**. Ormai non c'è più la maestra, ma un insegnante per ogni materia. Tra l'altro gli alunni studiano lingue straniere (inglese o francese), senza però risultati eccellenti: il fatto che i programmi televisivi stranieri siano doppiati non aiuta molto gli italiani. Alla fine del terzo anno, dopo un esame, gli alunni ottengono la *licenza media*. Termina in questo modo la scuola dell'obbligo, anche se da tempo si discute sul suo prolungamento.

Chi decide di continuare gli studi può scegliere tra diversi tipi di **scuola media superiore:** *liceo classico, scientifico, linguistico, artistico, istituti tecnici* e *scuole professionali.* La durata degli studi è di 4 o 5 anni e alla fine c'è *l'esame di maturità:* prevede prove scritte e orali sulle materie dell'ultimo anno. Chi le supera (la maggior parte degli studenti) ottiene *il diploma.*

1. La scuola dell'obbligo:
  - ☐ a. comprende la scuola superiore
  - ☐ b. in futuro durerà probabilmente di più
  - ☐ c. comprende la scuola materna
  - ☐ d. dura 5 anni

2. La scuola media:
  - ☐ a. dura quanto quella elementare
  - ☐ b. dura quanto quella superiore
  - ☐ c. prevede un esame alla fine dell'ultimo anno
  - ☐ d. prevede videolezioni di lingue straniere

3. La scuola superiore:
  - ☐ a. non è soltanto di un tipo
  - ☐ b. dura 4 anni
  - ☐ c. rende gli studenti più maturi
  - ☐ d. prevede un esame orale finale

Laurea: 127

1ª Università: 468

Diploma superiori: 654

1ª superiori: 891

Licenza media: 965

1ª MEDIA: 1000

Le Università italiane

Tutti gli studenti, in possesso di diploma di scuola superiore, possono iscriversi a una facoltà di loro scelta, senza esami di ammissione. Per alcune facoltà a numero chiuso invece, come Medicina, Odontoiatria, Architettura ecc., è obbligatorio il superamento di una prova scritta. Per gli stranieri (extracomunitari) è, in ogni caso, prevista una prova di lingua italiana.

Il libero accesso agli studi universitari, comunque, crea anche problemi: università spesso sovraffollate e bassa percentuale di laureati (circa 20%); il 70% degli iscritti non riescono a laurearsi, mentre molti sono anche i "fuori corso", gli studenti cioè che presentano con ritardo la loro *tesi di laurea*. D'altra parte, l'università italiana, nonostante l'alto livello di preparazione che offre, è un po' staccata dal mondo del lavoro; così anche con una laurea in mano non è facile trovare un'occupazione.

La durata di un corso di laurea varia dai 3 ai 6 anni, a seconda della facoltà. Negli ultimi anni, tuttavia, esiste anche la cosiddetta *laurea breve*, un diploma universitario che uno può ottenere in 2 o 3 anni, ed è richiesto in specifiche aree professionali. Dopo la laurea esistono ovviamente *corsi di specializzazione* e *dottorati di ricerca* di altissimo livello.

La maggior parte delle università italiane sono statali (45 circa); gli studenti devono, comunque, pagare le *tasse d'iscrizione* all'inizio di ogni anno accademico, che variano a seconda dell'università. Esistono, inoltre, poche università private, molto più selettive e costose, Politecnici, Istituti universitari e le Università per stranieri di Perugia e di Siena.

LE LAUREE OTTENUTE ALL'ESTERO

Secondo la classifica compilata dal settimanale tedesco «Der Spiegel», gli universitari italiani preferiscono non lasciare il nostro paese per prendere una laurea: soltanto 4 su cento vanno all'estero per laurearsi. Al primo posto gli svedesi: il 32% degli studenti diventa «dottore» in un paese straniero.

SVEZIA		32
SVIZZERA		19
GERMANIA		17
G. BRETAGNA		16
BELGIO		11
FRANCIA		11
AUSTRIA		10
DANIMARCA		9
IRLANDA		8
FINLANDIA		7
OLANDA		6
SPAGNA		6
PORTOGALLO		5
ITALIA		4
GRECIA		3

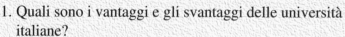

CHI STUDIA MENO STUDIA MEGLIO

Non sempre chi frequenta di più ottiene risultati migliori. Anzi, secondo i dati forniti da Eurostat i paesi nei quali gli studenti passano più tempo negli atenei sono anche quelli nei quali la qualità dello studio è inferiore. La causa è l'organizzazione più carente che si traduce in una perdita di tempo per gli studenti.

Durata media degli studi universitari nella Ue

G. Bretagna	3,5
Finlandia	3,8
Irlanda	4,1
Grecia	4,5
Austria	4,6
Belgio	4,9
Olanda	5,3
Germania	5,4
Svezia	5,4
Spagna	5,4
Portogallo	5,8
Francia	5,8
Italia	6,2
Danimarca	6,3

1. Quali sono i vantaggi e gli svantaggi delle università italiane?
2. Cosa deve fare un italiano e cosa uno straniero per iscriversi a un'Università?
3. Quanti tipi di corso esistono?
4. Quanti tipi di università?

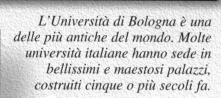

L'Università di Bologna è una delle più antiche del mondo. Molte università italiane hanno sede in bellissimi e maestosi palazzi, costruiti cinque o più secoli fa.

Per ulteriori informazioni sulle università italiane potete cercare anche su Internet; ecco qualche indirizzo utile:

www.cilea.it/www-map/enti/univ.html
www.istruzione.it
www.uni-bocconi.it

Un conto corrente

Eva è in Italia per un corso di lingua. A libro chiuso ascoltate il suo dialogo con Remo.

1 *Ascoltate di nuovo il brano e rispondete alle domande*

1. Eva è andata in banca per prelevare soldi.
2. I soldi che le avevano mandato non sono ancora arrivati.
3. Presto avrà un conto corrente.
4. Remo odia dover stare in fila.

	vero	falso

Remo:	Ti vedo stanca.
Eva:	Per forza: stamattina sono andata in banca per quel conto corrente di cui ti parlavo.
Remo:	Ma io non ho capito a cosa ti serve un conto, se fra sei mesi andrai via.
Eva:	E i soldi che mi mandano i miei dove li tengo, sotto il materasso?
Remo:	Ma i soldi che ti mandano li spendi in una settimana.
Eva:	Ecco il motivo per cui mi serve un conto in banca: per risparmiare invece di sprecare. E poi alla Banca Commerciale c'è un conto corrente per studenti, che dà un tasso d'interesse più alto.
Remo:	Va bene, non insisto. Allora, l'hai aperto?
Eva:	No, perché ci vuole il codice fiscale che avrò la settimana prossima.

Remo: Quindi hai perso la tua mattinata?

Eva: No, per niente; l'addetto al servizio nuovi clienti con cui ho parlato mi ha dato tutte le informazioni di cui avevo bisogno. Questo conto ha molti vantaggi, sai.

Remo: Quali sarebbero?

Eva: A parte il tasso che è abbastanza alto, ti danno una tessera magnetica con la quale puoi prelevare soldi dal Bancomat senza aspettare in fila.

Remo: Ecco una parola che ti piace molto: prelevare!

Eva: Dai, spiritoso! Con questa tessera uno può fare anche versamenti, cambiare soldi ecc. Io ti consiglierei di aprirlo questo conto.

Remo: Mah, non sono tanto amico delle banche io. Queste procedure mi stancano.

Eva:	Al massimo perderai un'oretta: ci sono solo certi moduli che bisogna compilare, i quali però sono un po' complicati in quanto richiedono molte cose.
Remo:	Cioè?
Eva:	Sai, residenza, nazionalità, professione e un sacco di particolari.
Remo:	Ecco perché non mi piacciono le banche: le file e la burocrazia sono cose a cui non mi abituerò mai.

2 _Leggete il brano ad alta voce in modo quanto più "italiano" possibile, imitando magari la pronuncia e l'intonazione dei parlanti della cassetta_

3 _Rispondete prima oralmente e poi per iscritto (15-20 p.) alle domande_

1. A quale scopo Eva è andata in banca? ....
....

2. Perché a Remo ciò sembra strano? ....
....

3. Alla fine che cosa ha fatto in banca Eva? ....
....

4. Quali sono i vantaggi di questo conto? ....
....

5. A cosa serve la scheda magnetica? ....
....

6. Perché Remo non ama le banche? ....
....

4 _Completate il dialogo tra Eva e l'impiegato della banca con le parole date_

imp.: Ha detto prima che si trova in Italia per un corso di lingua, vero? _Eva_: Sì, e il motivo .... mi serve un conto è .... i miei mi mandano soldi una volta al mese. Quindi, oltre a una certa sicurezza, si tratta anche di risparmio. C'è un conto per studenti .... ho sentito parlare. _imp._: Appunto; ce n'è uno .... presenta dei vantaggi per chi studia: anzitutto ha un tasso d'interesse .... è legger- mente più alto; in più, comprende l'uso di una tessera magnetica .... potrà effettuare prelievi o versamenti al Bancomat. _Eva_: Bene, così non dovrò fare la fila; però non li so usare. _imp._: Sono molto facili nell'uso, quindi non si deve preoccupare. Poi, per aprire questo conto bastano anche dieci euro. _Eva_: Allora l'unica cosa .... mi manca è il codice fiscale, eh? _imp._: Sì, bene o male è una cosa senza .... uno non può fare quasi niente!	_**con la quale**_ _**per cui**_ _**che**_ _**cui**_ _**che**_ _**il quale**_ _**di cui**_ _**che**_

5 _In base a quanto avete letto scrivete un breve riassunto (40-50 p.) del dialogo introduttivo_

Il pronome relativo *che*

1. Il signore **che** ha parlato ieri in tv è il mio professore. ⇨ (il signore *il quale*...)
2. Conosci quella ragazza **che** è seduta sulle scale? ⇨ (la ragazza *la quale*...)
3. Gianna e Maria, **che** sono straniere, parlano già bene. ⇨ (Gianna e Maria *le quali*...)
4. Il libro **che** sto leggendo è molto interessante.
5. Di dove sono questi ragazzi **che** mi vuoi presentare?
6. Le scarpe **che** vorrei comprare sono troppo care.

➤ *Come potete notare il pronome relativo* **che** *è* **indeclinabile** *e si riferisce al* **soggetto** *(esempi n. 1, 2 e 3) oppure all'***oggetto** *(esempi n. 4, 5 e 6)*
➤ *Il pronome* **il quale***, invece, è* **declinabile** *e può sostituire* **che** *(soggetto)*

<u>Attenzione</u>: Questi ragazzi **li** ho incontra**ti** ieri.

<u>ma</u>: Questi sono i ragazzi **che** ho incontra**to** ieri.

6 *Formate frasi orali secondo l'esempio*

> Ignazio ha un fratello; si chiama Maurizio.
> *Ignazio ha un fratello* **che** *si chiama Maurizio.*

1. Ho visto un film ieri; mi è piaciuto molto.
2. Vado a mangiare in una pizzeria; è abbastanza economica.
3. Mario mi ha regalato un libro; non è per niente interessante.
4. Comprerò il nuovo cd di Zucchero; deve essere molto bello.
5. Ho conosciuto una ragazza; è alta un metro e ottanta.
6. Ho mangiato un panino; non era per niente buono.
7. C'è una libreria italiana; vende anche cd-rom.
8. Mi hai prestato soldi; domani te li porto.

Nel *Libro degli esercizi* vedete n. 1 - 4

Il pronome relativo *cui*

Sono uscita **con** Luigi.	⇨	L'uomo **con cui** sono uscita è Luigi.
Penso molto **a** mia madre.	⇨	La persona **a cui** penso è mia madre.
Mi parlavi spesso **di** una ragazza.	⇨	Questa è la ragazza **di cui** mi parlavi?
Ieri sono andato **da** un amico.	⇨	Ecco l'amico **da cui** sono andato ieri.
Abito **in** un palazzo vecchio.	⇨	Questo è il palazzo **in cui** abito.
Ho raccontato tutto **a** Rita.	⇨	Rita è la persona **a cui** ho raccontato tutto.
Non sono venuta **per** motivi seri.	⇨	I motivi **per cui** non sono venuta sono seri.
Lucio è **tra** i miei amici più cari.	⇨	Ho pochi amici cari **tra cui** anche Lucio.

Al contrario di **che***, il pronome relativo* **cui** *è sempre* **preceduto da una preposizione***. Anche in questo caso il pronome* **il quale** *lo può sostituire, accompagnato dalla stessa preposizione. Osservate:*

Il ragazzo **con cui** esci...	⇔	Il ragazzo **con il quale** esci...
La ragazza **di cui** parli...	⇔	La ragazza **della quale** parli...
I ragazzi **a cui** hai dato...	⇔	I ragazzi **ai quali** hai dato...
Le persone **in cui** credo...	⇔	Le persone **nelle quali** credo...

7 _Osservando attentamente gli esempi di prima formate frasi orali secondo il modello_

> Ho molta fiducia <u>in</u> Roberto. (_Roberto è un ragazzo..._)
> _Roberto è un ragazzo_ **in cui** / **nel quale** _ho molta fiducia._

1. Sono nato <u>in</u> una città grande, ma un po' caotica. (_La città..._)
2. Ho prestato dei soldi <u>ad</u> un caro amico. (_Il ragazzo..._)
3. Ho letto la notizia <u>su</u> una rivista, ma non mi ricordo quale. (_Non mi ricordo..._)
4. Mi preoccupo molto <u>di</u> questo fatto. (_È un fatto..._)
5. Mi diverto un sacco <u>con</u> i film di Totò. (_Sono film..._)
6. <u>Tra</u> le ragazze che ho incontrato c'era anche tua sorella. (_Ho incontrato delle..._)
7. Stasera viene anche Silvia; ho una sorpresa <u>per</u> lei. (_Stasera viene anche..._)
8. <u>Da</u> voi non mi aspettavo un comportamento del genere. (_Siete persone..._)

> Nel _Libro degli esercizi_ vedete n. 5 - 10

8 Chiedere il perché

◆ Senti, Raffaella, quel mio prestito purtroppo non te lo posso restituire.
◇ E perché no?
◆ Niente, ...semplicemente in questo periodo sono al verde!

◆ Non ho capito perché hai pagato in contanti.
◇ Perché loro non accettano carte di credito.

◆ Perché mai hai deciso di prendere un mutuo ad un tasso così alto?
◇ Perché altrimenti la costruzione della casa non sarebbe finita in tempo.

◆ Per quale ragione il cassiere in banca non dà mai banconote di piccolo taglio?
◇ Perché non ha voglia di mettersi a contare.

◆ Come mai non hai pagato con la carta di credito?
◇ Perché l'ho già usata troppo questo mese.

9 ▷ <u>Sei **A**</u>: *prima annuncia a B quanto segue e poi rispondi alle sue domande:*

Role-play

     ○ non andrai più al tuo lavoro
     ○ stai per vendere il tuo motorino
     ○ hai rotto con la tua fidanzata
     ○ hai deciso di non usare più carte di credito
     ○ stai cercando un nuovo appartamento
     ○ hai bisogno di soldi

   ▷ <u>Sei **B**</u>: *senti quello che ti dice A e poi*
     chiedi delle spiegazioni

10 **Lettere formali**

Leggete queste lettere e dite a quale delle due si riferiscono le affermazioni che seguono; non
è necessario capire ogni parola

A

LA LIBRERIA messaggio fax

LA LIBRERIA

10681 Paris
128 Rue de Solon

Parigi, 3 novembre

Spett. Messaggerie Libri

Gentili Signori,
siamo una libreria italiana e desideriamo iniziare una
collaborazione con la Vostra azienda. Operando da
più di un anno, abbiamo un rapporto di stima e fiducia
con la nostra clientela, composta da italiani, italianisti
e naturalmente da studenti e insegnanti d'italiano. La
nostra posizione centralissima rende LA LIBRERIA un
punto di riferimento per la lingua e la cultura italiana.
Attualmente collaboriamo con i maggiori editori italiani,
con cui abbiamo ottimi rapporti; le esigenze dei nostri
clienti, comunque, aumentano e con esse cresce la
richiesta di pubblicazioni anche di editori minori.
Apprezzeremmo, quindi, delle informazioni sulle
edizioni che distribuite e sulle Vostre condizioni di
vendita, preferibilmente via fax o e-mail.
Sicuro che la nostra collaborazione sarà assai fruttuosa,
sono a Vostra disposizione per qualsiasi chiarimento.
In attesa della Vostra risposta, porgo cordiali saluti.

prof. Bruno Giannini

B

messaggerie libri SPA export service
via Baralla 128
Firenze 50127 - Italia

DOCUMENTO DI TRASMISSIONE - FAX

Firenze, 4 novembre

Spett. La Libreria
Alla cortese attenzione del prof. Giannini

Egregio Professore,
ringraziandoLa per l'interesse nei confronti della nostra
azienda, Le invio il materiale relativo al nostro servizio
esportazione.
Se, come ci auguriamo, sarete interessati ad iniziare
una collaborazione con noi, La pregherei di voler gentilmente compilare la richiesta di apertura di credito
(segnalando il vostro numero di partita I.V.A.) che Le
invio in allegato e di farmene avere una copia via fax e
l'originale con la firma per accettazione via posta.
Le mando di seguito una lista aggiornata delle edizioni
che possiamo fornire.
In attesa di Vostre ulteriori notizie, La saluto molto
cordialmente.

Mariella Ragaccini

	A	B
1. una proposta di collaborazione	☐	☐
2. un modulo da compilare	☐	☐
3. una breve presentazione	☐	☐
4. una richiesta di informazioni	☐	☐
5. un elenco	☐	☐
6. alcuni dati economici	☐	☐

11 Fate un breve riassunto orale delle due lettere

12 *Adesso tocca a voi. Immaginate di essere imprenditori e di voler iniziare una collaborazione con un'azienda italiana allo scopo di esportare i vostri prodotti oppure importare i loro; scegliete il settore della vostra attività (ad. es. abbigliamento, edizioni, turismo, macchine, mobili ecc.), fate una breve presentazione della vostra ditta e spiegate gli obiettivi della vostra lettera. Utilizzate le espressioni relative che seguono*

lettere formali	
aprire	**chiudere**
Egregio Signore/Dottore/Direttore	*(Porgo) Cordiali/distinti saluti*
Gentile/Gentilissima Signora	*La saluto cordialmente*
Gentili Signori/Signore	*Con stima*

13 Chi

Chi pensa sempre al denaro in fondo è infelice.
Chi parla troppo non sa ascoltare.
Ragazzi, chi finisce di studiare potrà uscire.
Senti chi parla!
Voglio bene a chi mi vuole bene.
Non so di chi stiate parlando.
Non parlo mai apertamente con chi non conosco bene.
Ci sono molti premi per chi vincerà la corsa.

Abbinate in modo da formare alcuni noti proverbi italiani

◆ **Chi** tardi arriva...	...fa per tre.
◆ **Chi** dorme...	...non piglia pesci.
◆ **Chi** vivrà...	...va sano e va lontano.
◆ **Chi** trova un amico...	...gode.
◆ **Chi** fa da sé...	...male alloggia.
◆ **Chi** va piano...	...trova.
◆ **Chi** si contenta...	...vedrà.
◆ **Chi** cerca...	...trova un tesoro.

Nel *Libro degli esercizi* vedete n. 11 e 12

14 *Leggete il testo e rispondete alle domande che seguono*

Gennaro: In che paese viviamo! Non si riesce a trovare più un buon posto di lavoro.

Milena: Tu ti lamenti continuamente della disoccupazione, ma non ti ho mai visto comprare una gazzetta.

Gennaro: Sì, perché secondo me tutto quello che si trova in questi giornali è quasi inutile.

Milena: Come inutile? E coloro che trovano lavoro in questo modo che cosa sono?

Gennaro: Ma tu ci hai mai provato? Sai cosa bisogna fare?

Milena: No, cosa?

Gennaro: Allora, compri uno di questi giornali e cominci a cercare. Appena trovi qualche occasione parti subito e vai in posti dove ci sono già file lunghe cento metri, il che non è per niente piacevole o creativo.

Milena: E cos'altro si potrebbe fare? Colui che ha bisogno di qualcosa la deve cercare.

Gennaro: Forse hai ragione, ma queste cose non sono per me, sono per coloro che non hanno ambizioni e progetti come quelli che ho io.

Milena: Va bene; ma guarda che se vai avanti così, senza lavoro, presto non avrai che le tue ambizioni da mangiare!

1. Di che cosa Milena accusa Gennaro?
2. Come si giustifica lui?
3. Con chi siete d'accordo? Spiegate.
4. Avete fatto esperienze simili?

Attenzione!

forma sbagliata		*forma corretta*
~~lui che~~ cerca	⇨	**colui che** (chi) cerca
~~loro che~~ pensano	⇨	**coloro che** (le persone che) pensano
~~tutto che~~ dici	⇨	**tutto quello che** dici
~~questo che~~ vedete	⇨	**quello che** (ciò che) vedete

Lavoro troppo e ciò spesso è un problema.
⇨ Lavoro troppo, **il che** spesso è un problema.

Non ha chiamato; questo significa che non verrà.
⇨ Non ha chiamato, **il che** significa che non verrà.

Ha uno stipendio molto alto; ciò gli permette di vivere con tutte le comodità.
⇨ Ha uno stipendio molto alto, **il che** gli permette di vivere con tutte le comodità.

Nel *Libro degli esercizi* vedete n. 13 e 14

15 _Date un primo sguardo ai 6 annunci che seguono e dite quali trovate interessanti per voi e perché. Vi consigliamo di concentrarvi sul significato globale e non su eventuali parole sconosciute, che non sono tanto utili a questo punto_

Gruppo multinazionale italiano, operante nel settore dei beni di consumo durevoli ricerca:

ANALISTA-PROGRAMMATORE

requisiti richiesti:

— età 25-30 anni,
— titolo di studio ad indirizzo informatico,
— esperienza di lavoro di 3-5 anni nella programmazione in ACCESS di Reti Locali e conoscenza dei principali programmi applicativi sotto WINDOWS
— costituisce titolo preferenziale la conoscenza dei sistemi UNIX e data base ORACLE
— buona conoscenza delle lingue inglese e francese
— disponibilità a spostamenti limitati nel tempo sul territorio europeo

L'inquadramento e la retribuzione saranno commisurati alle effettive conoscenze e capacità, comunque in linea con il mercato.

Sede di lavoro: prima periferia a nord-est di Milano.
Inviare dettagliato curriculum vitae a:

S.I.M. DI DISTRIBUZIONE
tra le prime del settore per volumi d'affari e consistenza di clientela
ricerca

LAUREATO 30-35 anni

da inserire in posizione di responsabilità nell'ambito della Direzione Marketing

La figura professionale ricercata assiste il dirigente responsabile nella progettazione e realizzazione delle attività di marketing della SIM, quali iniziative di:
• comunicazione e immagine (campagne istituzionali o di prodotto, iniziative promozionali, ecc.);
• direct marketing finalizzato alla ricerca di nuova clientela;
• sviluppo del sistema informativo di marketing.
Esperienza pluriennale nel settore finanziario, preferibilmente in SIM di distribuzione. È richiesta la conoscenza e l'uso dei più comuni sistemi operativi per PC. Sede di lavoro Milano. Il livello contrattuale e la retribuzione saranno commisurati alla professionalità e all'esperienza del candidato. Sarà dato riscontro ai profili ritenuti coerenti alla posizione.

Scrivere a:

RIBOLINI & VE...   ...Grumello 6 - 20144 Milano

L'UOMO CHE FA PER NOI

PENSA DI VALERE ALMENO 30.000 ALL'ANNO

La nostra società da oltre 25 anni produce e commercializza ausiliari chimici con reti di vendita distinte nei seguenti settori:
INDUSTRIA - CATERING - RIVENDITORI
L'attuale forza vendita è composta da 120 agenti con i seguenti trattamenti economici: Fisso - Provvigioni oltre il 20% - Premi e incentivi - Possibilità di carriera.

Cerchiamo su tutto il territorio nazionale agenti e rappresentanti per zone libere (senza portafoglio clienti) e zone scoperte (con portafoglio clienti) con i seguenti requisiti:
● Almeno 2 anni di esperienza nelle vendite
● Età fra i 22 e i 40 anni
● Disponibilità entro 60 giorni di calendario
● Automuniti e preferibilmente con iscrizione ENASARCO

Il nostro Cliente è una prestigiosa multinazionale petrolifera, operante in Italia da diversi decenni che sta vivendo oggi un positivo momento di evoluzione. Nel quadro del potenziamento della **DIREZIONE DEL PERSONALE**, ci ha incaricati della ricerca di un

NEOLAUREATO IN PSICOLOGIA

25/30 anni - conoscenza inglese

Il ruolo - Attraverso un articolato percorso formativo, teorico e "on the job", si impadronirà delle competenze necessarie per svolgere compiti di Selezione, Formazione ed Organizzazione. Affiancato da colleghi più esperti, riporterà al Responsabile Risorse Umane. La funzione prevede numerose relazioni sia interne che, in futuro, internazionali.

Il candidato - È un laureato in Psicologia, preferibilmente della gestione del lavoro, o in Sociologia, interessato ad una carriera nell'ambito della gestione delle Risorse Umane. Un brillante Curriculum di studi, un elevato livello culturale ed un'ottima conoscenza della lingua inglese, sia scritta che parlata, unite a capacità di "problem solving" e di "Team working", sono condizioni irrinunciabili.

L'offerta - L'Azienda propone un inserimento con Contratto di Formazione e Lavoro biennale e concrete opportunità di crescita professionale. La sede di lavoro è MILANO.

Il C.V., completo di indicazioni sull'attuale retribuzione lorda, dovrà essere inviato citando il Rif.90.302C per fax al n.039/6056469 o espresso a:
Mercuri Urval, Centro Direzionale Colleoni,
Palazzo Astrolabio, 20041 Agrate Brianza

Mercuri Urval

Partner in Human Resources

Primaria azienda nazionale produttrice di apparecchiature per il condizionamento ed il riscaldamento ricerca per il proprio ufficio tecnico

INGEGNERE

a cui affidare la progettazione e lo sviluppo dei propri prodotti.

Si richiede: — pluriennale esperienza maturata in aziende del settore;
— capacità di gestione e coordinamento dei propri collaboratori;
— dinamismo;
— conoscenza dell'inglese;
— età massima 40 anni.

La presente ricerca è rivolta a candidati di sicuro livello professionale ai quali l'azienda può offrire un trattamento economico di sicuro interesse.

Sede di lavoro: provincia di Bologna.

Scrivere a:
CORRIERE 466-AP - 20100 MILANO

INDUSTRIA FARMACEUTICA MULTINAZIONALE
ricerca

INFORMATORI SCIENTIFICI DEL FARMACO

per le zone:
• LECCO/SONDRIO (RIF. 21)
• COMO (RIF. 22)
• BERGAMO (RIF. 23)
• REGGIO EMILIA (RIF. 24)

Seven Arts

Chiede
Laurea in medicina e chirurgia, medicina veterinaria, scienze biologiche, farmacia, chimica e tecnologie farmaceutiche, chimica con indirizzo organico o biologico (D.L. 541/92 - 30/12/92); residenza in zona; spirito di iniziativa, dinamismo, entusiasmo e costanza.

Offre
Corso di formazione professionale retribuito, corsi di perfezionamento e aggiornamento, contratto nazionale, un pacchetto retributivo ed assicurativo di sicuro interesse, auto aziendale e rimborsi spese.

Gli interessati sono pregati di inviare un curriculum manoscritto e per espresso alla: **Seven Arts** S.r.l.- Viale delle Milizie, 6 - 00192 Roma, citando il riferimento di interesse anche sulla busta.

Se il candidato desidera non entrare in contatto diretto con particolari società, dovrà apporre sulla busta la dicitura "Riservato".

annunci tratti dal _Corriere della Sera_ e _la Repubblica_

16 *Sotto vedete un breve profilo di alcune persone; ognuno di loro corrisponde ad uno degli annunci della pagina precedente, ma ha un piccolo difetto; potete capire quale?*

nome	età	studi	conoscenza inglese	conoscenza computer	esperienza nel settore
E. Toscanini	32	Psicologia	buona	no	4 anni
L. Ornario	23	Maturità	-	sì	-
L. Collauti	27	Economia e commercio	discreta	buona	2 anni
S. De Roberto	25	Informatica	ottima	sì	1 anno
G. Rosatto	26	Chimica	-	no	-
P. Marelli	28	Ingegneria	discreta	sì	3 anni

17 *Leggete gli annunci e rispondete alle domande; non importa se avete parole sconosciute*

Azienda Padovana leader a livello mondiale nel suo settore cerca 1 ragioniera di età compresa tra i 20 e i 22 anni, anche prima esperienza, da inserire in ufficio amministrativo. La conoscenza della lingua inglese completa il profilo. La sede di lavoro è a nord di Padova. Curriculum a: Praxi, piazza De Gasperi 41, 35131 Padova.

1. La candidata deve essere:

   a. esperta
   b. giovane
   c. padovana

2. La candidata deve:

   a. saper usare il computer
   b. essere bella e giovane
   c. avere una macchina

Azienda industriale ricerca 1 segretaria dell'amministratore delegato. La candidata ideale, di un'età compresa tra i 35 e i 40 anni, deve avere una buona cultura, parlare e scrivere correntemente inglese e tedesco e risiedere a Vicenza o dintorni. Fondamentali per la valutazione delle candidature sono una solida professionalità e l'abitudine all'uso di sistemi informativi. Curriculum a: Con Par, riferimento DM, via Boccaccio 39, 20123 Milano.

Industria produttrice di abbigliamento casual con sede a Verona cerca 1 responsabile ufficio export per coordinare l'attività gestionale dell'ufficio, rivolta ai mercati europei, curando in prima persona i rapporti di sede con clienti e agenti. Requisiti: età inferiore ai 40 anni, diploma di laurea, conoscenza a livello di madrelingua di inglese o tedesco, solida esperienza maturata presso aziende del settore. Curriculum al fax 045/8012971.

3. Il/la candidato/a deve:

   a. essere inglese o tedesco/a
   b. avere esperienze simili
   c. essere maturo/a

4. Le candidate devono avere:

   a. abilità comunicative
   b. seguito corsi relativi
   c. una certa esperienza

Azienda produttrice di arredi per ufficio cerca 5 diplomate o laureate per la filiale di Roma da avviare alla carriera commerciale. È previsto un corso teorico pratico con professionisti e responsabili d'azienda. Pertanto è richiesta una forte predisposizione ai rapporti interpersonali ad alto livello, capacità di dialogo e creatività. Per informazioni telefonare allo 06/83465342.

annunci tratti da *Donna Moderna*

18 *Scegliete uno degli annunci delle due pagine precedenti e scrivete una lettera in cui ponete la vostra candidatura al posto annunciato e vi presentate (studi, esperienza ecc.). Troverete utili espressioni come: "In riferimento al vostro annuncio...", "mi sono laureato in...", "ho lavorato presso..." ecc.*

19 Chi è Pasquale?

- Sai chi ho visto per strada oggi?
- No, chi?
- Pasquale! Lo ricordi, no? Eravamo insieme al liceo.
- ...No, chi sarà mai?
- Pasquale, la cui sorella ti piaceva tanto.
- A me, sua sorella!? ...Non mi ricordo.
- Pasquale, i cui genitori erano molto amici dei tuoi.
- Non posso veramente capire di chi stai parlando.
- Pasquale, le cui barzellette ci facevano morire dalle risate.
- Boh! Adesso sono proprio curioso.
- Pasquale, il cui banco era davanti al nostro.
- Ma non posso veramente ricordare.
- Colui che studiava!
- Aaah, Pasquale! Adesso mi ricordo. Allora?
- Niente. Non mi ha salutato nemmeno!!!

---

il pronome *cui* come possessivo

Gianni, **il cui padre** è avvocato, è iscritto a Giurisprudenza. (il padre del quale)
I Zanetti, **la cui casa** si trova in collina, sono ricchi sfondati. (la casa dei quali)
Maria, **i cui fratelli** lavorano alla FIAT, è disoccupata. (i fratelli della quale)
Carlo, **le cui vacanze** sono finite, domani torna in ufficio. (le vacanze del quale)

Nota: Il pronome relativo *cui* ha valore di possessivo quando è preceduto da un articolo, il quale concorda con il sostantivo che segue (**le** cui **vacanze**).

---

20 *Inserite nelle frasi le parole date a destra*

1. Sono uscita con Mario, ... stile mi piace molto.
2. Roma è una città .... monumenti sono innumerevoli.
3. Vado da Elena, ... casa è alla periferia della città.
4. Mi piace parlare con Dario, ... sogni sono simili ai miei.
5. Sono d'accordo con il mio socio, ... onestà è indiscutibile.
6. Ho conosciuto il sig. Neri, ... idee mi piacciono molto.

la cui
i cui
le cui
i cui
il cui
la cui

Osservate:

È lo scrittore **del cui** libro ho sentito parlare molto. (del libro del quale)
Verrà anche Luigi, **nella cui** casa abbiamo organizzato tante feste. (nella casa del quale)
È la ragazza **con la cui** macchina abbiamo fatto molte gite. (con la macchina della quale)
Sono persone **alle cui** feste non manca nessuno. (alle feste delle quali)

Nel *Libro degli esercizi* vedete n. 15 - 21

21 *Leggete il testo e rispondete alle domande che seguono; non cercate di capire ogni parola*

LETTERE

Ci sono circostanze in cui il telefono non basta e bisogna rispolverare carta e penna per scrivere lettere di condoglianze, di ringraziamento per un regalo di nozze o un favore ricevuto e (se non vogliamo ricorrere a un comodo telegramma) di congratulazioni.
Ecco alcune semplici regole dettate da logica, chiarezza e buon gusto:

- ✉ la carta sarà bianca o al massimo di un azzurro chiarissimo; l'inchiostro, d'altra parte deve essere altrettanto chiaro (blu scuro o nero) per la gioia della vista di chi legge;
- ✉ la formula d'inizio migliore è sempre la più semplice: Egregio Signore, Gentile Signora, Caro Mario... per la corrispondenza privata; sempre "Spettabile" (Spett.) per quella di lavoro;
- ✉ l'intestazione è sempre seguita dalla virgola; il testo si inizia nella riga successiva, con la lettera minuscola;
- ✉ evitate cancellature, correzioni, asterischi ecc.;
- ✉ evitiamo in genere i "migliori" saluti (a chi andranno i peggiori?); meglio quelli "affettuosi", "cordiali" e, nelle lettere professionali, "distinti";
- ✉ con condoglianze e auguri gli aggettivi "sinceri" e "particolari" sono per lo meno inutili; evitiamo inoltre la crudeltà di espressioni tipo "Vedova Rossi" sulla busta; per noi sarà sempre la "Gentile Signora Carla Rossi";
- ✉ se la nostra grafia è disordinata e illeggibile, meglio scrivere a macchina anche le lettere private, per evitare al destinatario (n.a.: o all'insegnante) una fastidiosa fatica.

Saluti da Ferrara

CARTOLINE ILLUSTRATE

Al tempo dei rapporti epistolari, i corrispondenti si spedivano cartoline illustrate per evitare lunghe descrizioni di ambienti e di luoghi. Oggi le inviamo per abitudine, o perché si crede di essere cortesi, o per "tormentare" colleghi e amici rimasti in città.
Oltre alla scelta della foto giusta, anche il testo ha le sue regole:

- ✍ evitiamo i "cari" saluti (cari nel senso di "amati"? o di "costosi", visto il prezzo del francobollo?) e quelli "sinceri", perché così confessiamo di essere capaci di saluti ipocriti: meglio i soliti "saluti affettuosi" e gli abbracci;
- ✍ mentre scrivete pensate anche a impiegati postali, postini, vicini ecc. che, per mestiere o per curiosità, leggeranno le vostre parole. Evitate quindi frasi spiritose o intime; per lo stesso motivo e per buon gusto, niente disegni comici: paesaggi e basta.

adattato e ridotto da *Si fa, o non si fa* di Barbara Della Rocca

n.a.: nota dell'autore

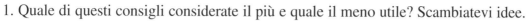

1. Quale di questi consigli considerate il più e quale il meno utile? Scambiatevi idee.
2. Qual è il punto più divertente del testo, secondo voi?
3. Perché i "cari saluti" possono essere un problema? E quelli "sinceri"?
4. Perché bisogna stare attenti a quello che scriviamo sulle cartoline?
5. Siete d'accordo con l'autrice sui motivi per cui mandiamo cartoline? Spiegate.
6. Parlate un po' di quello che fate voi: quanto spesso scrivete lettere e cartoline, a chi, per quali motivi? Vi piace la corrispondenza in genere? In quali occasioni una lettera è l'unica alternativa?
7. Cosa sapete della posta elettronica o e-mail? Come funziona, che vantaggi o svantaggi ha rispetto a quella tradizionale?
8. Potete citare differenze tra lingua scritta e orale? Tra una lettera formale e amichevole?

22 Ascolto *Ascoltate il brano e rispondete alle domande (Libro degli esercizi, P. 24)*

23 Vocabolario *Sottolineate la parola estranea (con l'aiuto del dizionario, se necessario)*

1. modulo	guardia	libretto	assegno	carta magnetica
2. sportello	bancomat	cassa	borsa	cassaforte
3. azienda	ditta	impresa	società	ufficio
4. pensione	assunzione	prestito	requisiti	licenziamento
5. comodità	profitto	perdita	debito	inflazione

24 Situazioni

1. Uno di voi (A) vuole cambiare valuta estera (ad es. dollari) in euro; chiede quindi all'impiegato dello sportello cambio (B) qual è la quotazione del dollaro; B risponde, chiede la somma che A vuole cambiare e un documento. Cercate di costruire un dialogo quanto più naturale possibile.

2. Hai letto sugli annunci di un posto interessante e hai fissato un appuntamento con il direttore. A lui interessano naturalmente studi, esperienza, carattere ecc. Tu, d'altra parte, troppo sicuro/a di te stesso/a, non sei disposto ad accettare qualsiasi offerta di lavoro e hai molte cose da 'chiarire': stipendio, ferie, condizioni di lavoro ecc., perfino sul carattere del direttore. Alla fine, decidi che lo vuoi come datore di lavoro.

25 Scriviamo

Scrivete una lettera ad un amico italiano in cui parlate del vostro nuovo lavoro (come lo avete trovato, condizioni, punti positivi e non ecc.). Alternativamente potete parlare del lavoro che vorreste fare, spiegandone il perché. (80-120 p.)

Fate il test finale dell'unità

L'economia italiana

Il miracolo economico

Dopo la seconda guerra mondiale e nei primi anni '50, l'Italia era un paese povero con un'economia agricola e senza materie prime.

Grazie al cosiddetto "piano Marshall" (un progetto degli Stati Uniti per il sostegno dell'Europa), all'inizio, gli italiani hanno eseguito numerose opere pubbliche (come l'autostrada Milano-Napoli, detta "del Sole" ecc.) creando così nuovi posti di lavoro, nuovi bisogni e consumi. Inoltre, le principali aziende italiane hanno potuto rinnovare i loro impianti, introducendo nuove tecnologie; agli inizi degli anni '60, grazie anche agli stipendi bassi, erano già in grado di esportare il 40% della loro produzione nel *Mercato Comune Europeo,* di cui l'Italia faceva parte dal 1957: auto, frigoriferi, lavatrici, televisori, ma anche prodotti alimentari e tessili. Tutti i settori dell'economia, soprattutto quello metalmeccanico e petrolchimico, hanno avuto uno sviluppo senza precedenti.

Il "boom" economico, però, ha incrementato il già grande squilibrio tra Nord e Sud: decine di migliaia di giovani sono dovuti emigrare verso i centri industriali del Nord. La *Cassa per il Mezzogiorno,* istitutita nel 1950 per favorire lo sviluppo del Sud, non ha potuto risolvere i problemi, purtroppo ancora oggi presenti.

L'economia oggi

L'Italia è oggi uno dei 6 paesi più sviluppati del mondo. Grazie alla loro creatività, gli italiani esportano con grande successo i loro prodotti in tutto il mondo; il *Made in Italy* si è affermato in quasi ogni settore: dalle macchine (*FIAT, Ferrari, Alfa Romeo* ecc.) e i macchinari industriali, alle motociclette (*Aprilia, Piaggio, Ducati* ecc.); dai capi di abbigliamento firmati dai grandi stilisti (*Progetto* 1, p. 130) alle calzature e gli accessori di pelle; dagli elettrodomestici (*Zanussi, Candy, Ariston* ecc.) alle assicurazioni (*Generali*); dai mobili, famosi per il design, agli pneumatici (*Pirelli*). E, ovviamente, tantissimi prodotti alimentari: espresso (*Lavazza, Illy* ecc.), dolci (*Ferrero, Algida* ecc.), pasta (*Barilla* ecc.), latticini (*Parmalat* ecc.), formaggi, salumi, frutta, olio, vino ecc.

Il settore dei servizi è molto sviluppato e coinvolge il 60% circa della popolazione. Comprende, tra l'altro, le telecomunicazioni, uno degli elementi più attivi dell'economia italiana: società come la *Telecom Italia*, la *Stet* e la *Fininvest* (della famiglia Berlusconi, proprietaria di 3 canali televisivi) sono tra le più grandi d'Europa. Molto importante per l'economia italiana è, infine, il turismo: oltre 100 milioni sono gli stranieri che ogni anno visitano il Bel Paese; alcuni di loro per le importanti fiere commerciali.

GRUPPO FIAT

- Automobili
- Veicoli industriali
- Macchine agricole
- Prodotti metallurgici
- Componenti per veicoli
- Componenti industriali
- Sistemi di produzione
- Aviazione
- Ferroviario
- Snia - Bpd
- Ingegneria civile
- Editoria
- Servizi finanziari
- Assicurazione

Fondata nel 1899 a Torino da Giovanni Agnelli, la FIAT (Fabbrica Italiana Automobili Torino), è sempre stata protagonista dell'economia italiana. Sotto la guida di Gianni Agnelli (il famoso "avvocato"), è diventata un colosso economico, importantissimo a livello mondiale, al quale appartengono, tra l'altro, la Ferrari, l'Alfa Romeo, la Lancia, la Piaggio, ma anche la Juventus. È grazie ai modelli economici della FIAT, come la 500, che gli italiani cominciano negli anni '50 a riempire le autostrade nei weekend; segno questo di una società che cambia rapidamente.

1. Il miracolo economico italiano:

    ❏ a. ha avuto inizio subito dopo la guerra
    ❏ b. è dovuto al sostegno degli europei
    ❏ c. si è verificato soprattutto al Nord
    ❏ d. è dovuto alle ricche risorse naturali

La Ferrari: un mito made in Italy

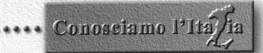

2. Il *Made in Italy* si riferisce soprattutto:
- ☐ a. ai prodotti agricoli
- ☐ b. ai prodotti industriali
- ☐ c. alle telecomunicazioni
- ☐ d. al turismo

3. La *FIAT*:
- ☐ a. ormai non significa solo macchine
- ☐ b. ha pochi anni di vita
- ☐ c. è grande, ma solo a livello europeo
- ☐ d. ha sempre prodotto solo macchine costose

Il Made in Italy

- ○ Quali di queste marche italiane conoscete e quali no? A che tipo di prodotti si riferisce ognuna? Scambiatevi idee.
- ○ Sapevate che erano tutti prodotti italiani? Cosa pensate della loro qualità?
- ○ Riferite altre marche italiane che hanno una forte presenza nel vostro paese.
- ○ Quali sono, secondo voi, i segreti del successo mondiale del *Made in Italy*?

> Se vi interessa l'economia italiana,
> date un'occhiata su Internet...
> www.mincomes.it
> www.ice.it
> www.fiat.com
> www.ferrari.it

Città italiane

Stefano ha appena annunciato a Grazia una notizia importante; ascoltate il loro dialogo senza guardare il testo. Non cercate di capire ogni parola.

1 <u>Ascoltate di nuovo il brano e rispondete alle domande</u>

1. Stefano non sa in quale città andare a studiare.
2. Preferisce la sua a qualsiasi altra città d'Italia.
3. Secondo Grazia, Milano è più moderna di Napoli.
4. Alla fine, Stefano decide di rimanere a Napoli.

vero	falso

Grazia: Secondo me, faresti bene ad accettare: è un ottimo posto!

Stefano: Sicuramente è più interessante di quello che ho adesso. Anche lo stipendio è più alto, anzi, altissimo. C'è un problema però: questa ditta non ha una filiale a Napoli che, per me, è la città più bella del mondo.

Grazia: Che alternative hai?

Stefano   Tante: Roma, Milano, Firenze, Bologna, Venezia. Sono veramente indeciso.

Grazia: Hai ragione, ma non è un posto a cui si rinuncia facilmente. Roma, per esempio, è più grande di Napoli e, dopotutto, è la capitale.

Stefano: Sì, ma è anche meno umana di Napoli. E sicuramente meno ricca di sentimenti.

Grazia: E di Milano cosa ne pensi? È una città più europea, più moderna...

Stefano: Secondo me, è più caotica che grande, più impersonale che moderna. Qua, invece, c'è sempre chi ti saluta la mattina.

Grazia: Perché non provi allora a Bologna, che è una città sia ricca che tranquilla?

Stefano: Bologna sarà meno caotica di Milano ma, d'altra parte, è fredda quanto Milano. Mentre io sono abituato al caldo di Napoli, al sole, al mare.

Grazia: Se non puoi fare a meno del mare, forse a Venezia ti sentirai come a casa tua.

Stefano: Ma che dici?! È più facile vivere in un'isola che a Venezia. La sua umidità ti uccide. E chi mi può garantire che fra dieci anni sarà ancora sopra l'acqua?

Grazia: Firenze allora: umana, accogliente, con il suo fiume, i suoi monumenti.

Stefano: Purtroppo Firenze è una delle città più care d'Italia, per strada vedi più stranieri che italiani e, per di più, d'inverno fa un freddo cane.

Grazia: Sai che ti dico? La cosa migliore da fare è rimandare la decisione. Chissà, magari fra qualche anno questa ditta avrà una filiale anche a Napoli!

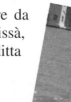

2 *Leggete il brano ad alta voce in modo quanto più "italiano" possibile, imitando magari la pronuncia e l'intonazione dei parlanti della cassetta*

3 *Rispondete prima oralmente e poi per iscritto (15-20 p.) alle domande*

1. Per quale motivo Stefano è indeciso? ....

....

2. Che idea hanno di Roma i due ragazzi? *Secondo Stefano* ....

....

3. Di Bologna? *Secondo* ....

....

4. Di Venezia? *Secondo* ....

....

5. E di Firenze? *Secondo* ....

....

4 *Il giorno dopo Grazia discute con Anna; completate il loro dialogo con le parole date*

Anna:	Alla fine Stefano ha accettato quella proposta o no?	**più**
Grazia:	C'è un problema: questa ditta ha filiali in tutte le grandi città tranne che a Napoli. E lui non sa cosa fare.	
Anna:	Non gli piacerebbe andare nemmeno a Roma?	**di**
Grazia:	No, perché crede che sia meno umana .... Napoli.	
Anna:	A Milano non c'è una filiale?	**che**
Grazia:	Certo, ma secondo Stefano è .... caotica di Napoli!!! La considera più impersonale .... ricca.	**di**
Anna:	Forse ha ragione. Altre città tra cui scegliere?	
Grazia:	Bologna, ma non gli piace perché la trova tanto fredda .... Milano.	**più**
Anna:	Può darsi, ma sicuramente .... tranquilla. Poi?	
Grazia:	Firenze, ma per lui è tra le città .... care d'Italia, il che è anche vero.	**che**
Anna:	Sì, ma Firenze è meno disordinata .... Napoli.	**quanto**
Grazia:	A me lo dici? A lui, comunque, non piace neppure Venezia, perché la trova molto più umida .... Napoli.	**più**
Anna:	Su questo sono d'accordo: Venezia è più un'isola .... una città.	
Grazia:	Questo dice anche Stefano e credo che per lui sarà meglio perdere questo posto anziché perdere la sua tranquillità.	**di**

5 *In base a quanto avete letto scrivete un breve riassunto (40-50 p.) del dialogo introduttivo*

Comparazione tra due nomi o pronomi

Laura è **più** gentile **di** Saverio.
Lui studia **più di** te.

(comparativo di maggioranza)

Assisi è **meno** grande **di** Palermo.
Io ho mangiato **meno di** te.

(comparativo di minoranza)

Noi siamo (tanto) ricchi **quanto** loro.
Ferrara è (così) piccola **come** Perugia.

(comparativo di uguaglianza)

---

6 *Osservando la scheda di sopra ed il modello, costruite frasi orali*

> Tina / magra / Daria.
> *Tina è più magra di Daria. / Tina è meno magra di Daria. / Tina è magra quanto Daria.*

1. Noi / spendiamo / voi.
2. Le ragazze / imparano / facilmente / i ragazzi.
3. Questa casa / costa / la nostra.
4. I documentari / interessanti / i telegiornali.
5. Una commedia / mi piace / un'avventura.
6. Le gonne / comode / i pantaloni.
7. La macchina di Elisa / veloce / la mia.
8. Beatrice / carina / sua sorella.

7 *Di seguito vediamo dei dati su alcune regioni italiane e i loro capoluoghi. Ognuno di voi, guardando la tabella, dovrà fare tre osservazioni diverse (ad es. "La Calabria è più grande della Sicilia", o "Milano ha meno abitanti di Roma", oppure "La Toscana è grande quanto l'Emilia Romagna"); gli altri dovranno capire ogni volta se l'affermazione è vera o meno*

regione	superficie	abitanti		capoluogo	abitanti
Piemonte	25.399 kmq	4.500.000		Torino	1.100.000
Lombardia	23.857 kmq	8.900.000		Milano	1.520.000
Veneto	18.364 kmq	4.370.000		Venezia	330.000
Emilia Romagna	22.124 kmq	3.940.000		Bologna	440.000
Toscana	22.992 kmq	3.600.000		Firenze	440.000
Umbria	8.456 kmq	820.000		Perugia	148.000
Lazio	17.203 kmq	5.100.000		Roma	2.900.000
Campania	13.595 kmq	5.700.000		Napoli	1.216.000
Sicilia	25.709 kmq	5.100.000		Palermo	720.000
Sardegna	24.090 kmq	1.640.000		Cagliari	223.500

Nel *Libro degli esercizi* vedete n. 1 - 7

8 **Chi l'ha detto?** *Leggete il testo e in seguito cercate di immaginare a chi corrispondono le frasi tra virgolette; non è necessario capire ogni parola*

Le differenze che ci uniscono

Abbiamo chiesto ad alcuni personaggi noti la loro opinione sull' "altra metà del paese": a quelli del Nord cosa pensano del Sud e viceversa. Ecco cosa ci hanno risposto:

Massimo Cacciari, ex sindaco di Venezia: "Amo tutto il Sud. Sono pazzo di Agrigento, Castel del Monte, la bellissima costiera Amalfitana. D'altra parte adoro la mozzarella di Caserta. In un mio menù ideale metterei più piatti meridionali che settentrionali."

Maria Teresa Ruta, giornalista tv, nata a Torino: "Io sono torinese, mia madre è originaria della Calabria, mio padre è piemontese, ma ha sangue siciliano. Ho parenti sparsi lungo tutta la penisola. Quindi mi sento più italiana che torinese."

Krizia, stilista, nata a Bergamo: "Del Mezzogiorno trovo straordinaria la luce. La luminosità del cielo, il

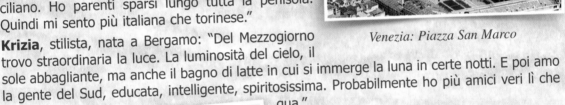

Venezia: Piazza San Marco

sole abbagliante, ma anche il bagno di latte in cui si immerge la luna in certe notti. E poi amo la gente del Sud, educata, intelligente, spiritosissima. Probabilmente ho più amici veri lì che qua."

Amalfi

Lina Sastri, attrice: "Sono una calabrese che adora Bologna. Ci vado spesso per lavoro, ma ho anche molti amici. Certo, Bologna non ha il mare, che è una parte di me. Ma ha uno spirito civile che ammiro. Noi meridionali siamo diversi: obbediamo più alle emozioni che alle leggi."

Luciano de Crescenzo, scrittore, napoletano: "A Milano mi fermo a guardarle: mi affascinano le auto ferme. In questa città più che guidare si aspetta ai semafori. Quando sono andato a vivere nel capoluogo lombardo, dopo un anno non conoscevo nessuno dei vicini. La mia *privacy* era garantita: non come a Napoli che chiunque mi entrava in casa a ogni ora. Insomma, amo Nord e Sud perché sono così: terribilmente diversi."

liberamente adattato da Donna Moderna

1. Massimo Cacciari: a. *"Ho più cugini là che qua."*
2. Maria Teresa Ruta: b. *"Qua mi sento più anonimo che famoso."*
3. Krizia: c. *"C'è più luce al Sud che al Nord."*
4. Lina Sastri: d. *"Mangio più alla napoletana che alla veneziana."*
5. Luciano de Crescenzo: e. *"È più bello fare il bagno che sciare sulle Alpi."*

Comparazione tra due aggettivi, verbi o quantità

- Milano è una città moderna. ⇨ - Secondo me, è **più** caotica **che** moderna.
- Beppe è molto intelligente. ⇨ - Io, invece, credo che sia **più** furbo **che** intelligente.

- Ti piace guardare la tv o leggere? ⇨ - Mi piace **più** leggere **che** guardare la tv.
- Mi piace il modo in cui insegna. ⇨ - Ma lei **più che** insegnare recita.

- A casa nostra mangiamo **più** carne **che** verdura.
- Per fortuna leggo **più** libri **che** riviste.

9 *Osservando la scheda di sopra costruite frasi orali*

1. Tiziana / carina / bella.
2. Divertente / imparare l'italiano / (imparare) il tedesco.
3. Preferisco bere / caffè / succhi d'arancia.
4. Questo attore / bello / bravo.
5. Mi piace / lavorare / essere disoccupato.
6. Qua ci sono / uomini / donne.
7. Questo ristorante / famoso / veramente buono.
8. Preferisco / stare a casa / uscire con chi non conosco bene.

Nel *Libro degli esercizi* vedete n. 8 - 13

10 **Ascolto**

a. *Ascoltate i due dialoghi e completate la griglia con le informazioni mancanti*

	sig. Rapetti	sig. Bertolio
città che visiterà		
data di arrivo		
data di partenza		
tipo di camera		
prezzo della camera per notte		
caratteristiche e servizi delle camere		

b. *Ascoltate di nuovo e rispondete oralmente alle domande*

○ Quanto dista dalla città l'albergo *Duomo*?
○ Cosa altro interessa al signor Rapetti?
○ Quali sono i motivi del viaggio del signor Bertolio?
○ Ha trovato tutto quel che cercava in questo albergo?

11 ▷ Sei **A**: _entri in un albergo, vai alla reception e chiedi una camera; in più, chiedi infor-_
mazioni sui prezzi, i servizi e altre caratteristiche dell'albergo

▷ Sei **B**: _sei l'impiegato/a dell'albergo; dai ad A tutte le informazioni richieste cercando di_
aiutarlo quanto puoi

Role-play

12 _Osservate queste pubblicità e parlatene; non importa se avete parole sconosciute_

IN GRECO NAPOLI SIGNIFICA CITTÀ NUOVA.

Il 26 Gennaio apre l'Holiday Inn di Napoli.
Un nuovo albergo per una città che vuole essere nuova di nome e di fatto. In pieno Centro Direzionale, l'albergo si trova in una posizione strategica: collegato direttamente alla tangenziale e alla Circumvesuviana, a soli 3 km dall'aereoporto e vicino alla Stazione Centrale. Ventidue piani a vostra disposizione: il massimo del comfort in ogni camera e nelle 32 suites. Potrete scegliere fra la gustosa cucina napoletana del bistrot e i raffinati menù internazionali del ristorante. Per soddisfare

qualsiasi esigenza sono disponibili 10 sale riunioni dotate di tutte le apparecchiature tecniche e audiovisive più avanzate, un business centre per il coordinamento delle varie attività di supporto e l'esclusivo health club, per rilassarsi dopo una giornata di lavoro con sauna, massaggi, palestra e whirlpool. Un equilibrio perfetto tra l'accoglienza calorosa, fatta di attenzioni speciali, e la professionalità nei servizi, garantita da un gruppo internazionale. Ecco perché l'Holiday Inn ha scelto proprio il capoluogo dell'ospitalità partenopea: Neapolis.

Holiday Inn®
NAPOLI

Centro Direzionale - 80143 Napoli - Tel. 081 / 2250111 (r.a.) - 5547139 - Fax 081 / 5628074

Grand Hotel Bologna e dei Congressi
Via Ponte Nuovo 42
40066 Pieve di Cento (BO)
Tel. 051/6861070/6861090
Telefax 051/974835

Categoria: ★★★★4 stelle
Camere: 130 / 12 Suite / Letti 282
Centro ristorativo ''I GABBIANI'' - Sala banchetti 280/2000 posti - Meeting piano bar - Telefono in camera con linea esterna diretta - Noleggio automezzi a richiesta - Fitness center - Parrucchiera - Bowling - Pizzeria - Golf - Maneggio - Eliporto - Centro di medicina sportiva - Tennis - Campo di calcio - Piscina - Palestra - Solarium - Centro congressi capacità sale da 10/70/300/400/2000 posti - Servizio congressi - Traduzioni simultanee - Palaconcerti - Auditorium - Area espositiva mq. 400 passerelle a richiesta - Servizio audiovisivi - Prenotazioni con conferme immediate - Centro prenotazioni Grand Hotel Bologna e dei congressi tel. 051/6861070 Fax 974835.

royal hotel carlton

BOLOGNA - Via Montebello, 8 - Tel. 24.93.61 (20 linee)
Telex ROYALA 510356 - Fax 249724

L'albergo ideale per l'uomo d'affari

Posizione centrale - tranquilla giardino.
Ogni camera con aria condizionata - bagno - doccia televisione a colori filodiffusione - frigobar telefono nelle camere abilitato in teleselezione.

Centro Congressi 11 Sale da 40 a 450 posti
Ristorante «Royal Grill» - Saloni per banchetti
Garage con 400 Posti auto
America Bar

39

1. Secondo voi, quale albergo è più grande, più caro e più bello?
2. Quale scegliereste e perché? Scambiatevi opinioni.
3. Che somiglianze o differenze notate? Parlatene.
4. Quali sono gli alberghi più noti della vostra città e dove si trovano? Sapete quanto costa una camera?
5. Vi piace stare in albergo? Motivate le vostre risposte.
6. Tra le professioni alberghiere quale ritenete più interessante?

Superlativo relativo di aggettivi

- È grande l'albergo?
- Sì, è l'albergo **più grande** della zona.

- L'Italia ha molte belle città.
- Sì, ma Roma è **la più bella**.

- È difficile questo esercizio?
- No, forse è l'esercizio **meno difficile** dell'unità.

- È antico quel monumento?
- Sì, è **il** monumento **più antico** della città.

13 *Formate frasi orali secondo l'esempio*

albergo / caro / città.
Questo è l'albergo più caro della città.

1. Damiano / studente / bravo / classe.
2. canzone / bella / Lucio Dalla.
3. mia / camicia / vecchia.
4. *"Va' dove ti porta il cuore"* / libro interessante / Susanna Tamaro.
5. Genova / città / tranquilla / Italia.

Nel *Libro degli esercizi* vedete n. 14 - 15

Superlativo assoluto di aggettivi e avverbi

- Ho viaggiato molto nella mia vita e ormai sono convinto: Roma è la più bella città del mondo.
- Non so se è la più bella, ma sicuramente è **bellissima**.

- È buono il pesce, tesoro?
- **Buonissimo**, mamma! Meno male che ho già mangiato fuori!!!

- Molto comodo questo divano!
- **Comodissimo**; per questo mi è costato un occhio della testa!

- Ho sentito che sei stato male.
- **Malissimo**: avevo 39 di febbre.
- Adesso stai bene?
- Adesso sto **benissimo**!

- A me l'italiano piace molto; a te?
- **Moltissimo**! Mi piace sempre di più!

14 *Rispondete oralmente alle domande usando il superlativo assoluto*

1. Ti devi alzare presto domattina?
2. È difficile il capitolo che stai studiando?
3. Trovi interessante questo libro?
4. Di solito bevi poco, vero?
5. È pesante la tua valigia?
6. Andate spesso al cinema?

Nel *Libro degli esercizi* vedete n. 16 e 17

15 **Scriviamo** Dopo un soggiorno veramente deludente in un albergo italiano scrivi una lettera al direttore in cui esponi i problemi che hai affrontato ed esprimi un giudizio negativo sull'ospitalità, la professionalità del personale e la qualità dei servizi in genere (140-160 p.)

16 *Leggete il testo e cercate di inserire le parole date; in seguito rispondete alle domande. Non cercate di capire ogni parola*

stradine, abituati, straordinarie, fiorentini, cammino, architettura, malinconia, antenne

FIRENZE

Piazza della Signoria e Palazzo Vecchio

Piazza della Signoria è considerata una "bellezza d'Italia", tra l'altro per la grandezza del *Palazzo Vecchio*, la monumentale *Fontana del Nettuno*, la copia del *Davide* di Michelangelo, il *Perseo*, capolavoro di Benvenuto Cellini e, infine, il *Ponte Vecchio*. È come visitare una raccolta di .... opere d'arte. I cittadini passano accanto a queste meraviglie e quasi non le notano: sono .... alle cose belle. Gli stranieri restano incantati. Spiega un toscano, Indro Montanelli: "Dei .... bisogna salvare almeno un carattere, quello dell'amore che hanno per la loro città... Ma io amavo la Firenze vecchia, la città medievale con le .... strette e le botteghe degli artigiani aperte sulla via. Che non cerco di ritrovare perché ormai non c'è più."

Sono parole piene di .... ma le cose sono cambiate ovunque e certe atmosfere sono sempre più difficili da scoprire, specialmente in un ambiente storico come questo: si cammina, si vive come tra le pagine di un manuale di .... Solo che sui tetti dei palazzi ci sono ormai le .... della televisione.

Una dichiarazione d'amore per la città dei Medici è questa di un famoso attore comico, Roberto Benigni, anche se espressa con linguaggio paradossale: "Quando .... per Firenze, il Duomo non lo guardo neanche, ma me lo sento addosso, mi pesa ogni mattone... Io sono ogni mattone. Un mattone, d'altra parte, non guarda gli altri mattoni: così non ho bisogno di guardarlo il Duomo per sentirlo..."

adattato dal libro *I come italiani* di Enzo Biagi

Firenze: il Duomo, il Campanile di Giotto e il Battistero

1. I tesori d'arte di Firenze ormai non fanno impressione:
   - ❏ a. ai turisti
   - ❏ b. ai suoi abitanti
   - ❏ c. a Indro Montanelli
   - ❏ d. a Roberto Benigni

2. Rispetto al passato Firenze è diversa per quanto riguarda:
   - ❏ a. la sua architettura
   - ❏ b. la sua atmosfera medievale
   - ❏ c. i suoi abitanti
   - ❏ d. i suoi palazzi

3. Roberto Benigni non guarda il Duomo perché:
   - ❏ a. ne è stufo
   - ❏ b. non ha più la possibilità
   - ❏ c. fa parte di se stesso
   - ❏ d. non ama l'arte in genere

Forme particolari di comparazione

Questo vino è **più buono** di quello.	⇔	È sicuramente **migliore** di quello.
Questa tua abitudine è **più cattiva** della mia.	⇔	È **peggiore** della mia.
Enzo ha problemi **più grandi** dei nostri.	⇔	Ha problemi **maggiori** dei nostri.
La mia sorella **più piccola** si chiama Ada.	⇔	Ada è la mia sorella **minore**.

<u>ma anche</u>:

I guadagni sono stati **più alti** del previsto!	⇔	Sono stati **superiori al** previsto.
I risultati sono **più bassi** delle aspettative.	⇔	Sono stati **inferiori alle** aspettative.

17 *Osservando la scheda di sopra completate le frasi*

1. Nino ha due anni più di me: è il mio fratello ....
2. Questo programma non è tanto interessante, ma è sicuramente .... di quello che guardavi prima.
3. Il livello di vita in Italia è .... a quello di molti paesi dell'Africa!
4. La situazione qua è .... di quella che mi aspettavo: penso di tornare indietro.
5. Le mie responsabilità sono .... delle tue poiché io sono più grande.
6. Quest'anno il numero di incidenti è stato .... a quello dell'anno scorso grazie alle misure speciali che ha preso la polizia stradale.

Forme particolari di superlativo

Sei veramente fortunato: il tuo è un **ottimo** posto!

È una persona in gamba, ma ha un **pessimo** carattere.

Va' avanti: ti seguo con la **massima** attenzione.

Cerchiamo di organizzare la festa con il **minimo** costo possibile.

Nel *Libro degli esercizi* vedete n. 18

18 **Canzone** *Leggete questa canzone e poi parlatene; perché l'autore usa la parola "troppo"? Cosa vuole comunicare secondo voi?*

*Io sono troppo bolognese, tu sei troppo napoletano
egli è troppo torinese e voi siete troppo di Bari.
Sì, noi siamo troppo orgogliosi, loro sono troppo veneziani,
e anche dentro la stessa città, siamo sempre troppo lontani!
E siamo sempre troppo romani, e sì che siamo troppo milanesi
e lo vedi anche allo stadio che siamo sempre troppo tesi.
Siamo tifosi poco sportivi perché siamo troppo fiorentini
e la polizia controlla che non stiamo troppo vicini!
E io sono troppo emiliano, tu sei troppo siciliano,
egli è troppo calabrese e voi troppo molisani.
E noi siamo troppo chiusi, loro sono troppo altoatesini,
e anche se è caduto il muro, abbiamo sempre troppi confini.
Prima eravamo troppo fascisti, poi troppo comunisti
e sì che il tempo passa ma siamo ancora troppo italiani.*

adattato da *Inno nazionale* di Luca Carboni

19 **Abitanti d'Italia** *In coppie cercate di completare la tavola che segue*

città	abitante	regione	abitante
	barese		abruzzese
Bologna		Calabria	
Firenze			emiliano
Napoli			lombardo
	palermitano		marchigiano
	parmigiano	Piemonte	
	perugino		pugliese
Roma			sardo
Torino		Sicilia	
Venezia		Toscana	

due verbi particolari

farcela	andarsene
Purtroppo non **ce la faccio** da solo.	Ragazzi, io **me ne vado**; sono stanco.
Ce la fai a portare tutte queste valigie?	**Vattene**! Lasciami in pace!
Non vi preoccupate, **ce la farete**.	Ma **te ne devi andare** così presto?!
Ce l'ho fatta: ho superato l'esame!	Gli ospiti **se ne vanno** già!
Ha partecipato, ma non **ce l'ha fatta**.	E così, **me ne sono andata** subito.
Non **ce l'abbiamo fatta** ad arrivare presto.	**Se ne sono andati** senza dire niente.

Nel *Libro degli esercizi* vedete n. 19

20 Fare comparazioni

Osservando la statistica che segue, comparate le città secondo gli esempi: "Genova è meno tranquilla di Napoli", "Preferirei vivere più a Genova che a Napoli" ecc. I compagni dovranno decidere se le vostre osservazioni sono vere o meno

DOVE IL DECIBEL È PIÙ DURO

Queste sono le strade più rumorose d'Italia secondo i dati di *Legambiente*.

Genova	via Cornigliano	80,1	**Roma**	via Tiburtina	77,2
Trieste	via Flavia	80,1	**Pescara**	corso V. Emanuele	77,2
Napoli	p.zza Museo nazionale	79,3	**Ancona**	via C. Colombo	76,9
Catanzaro	Santa Maria	78,9	**Milano**	p.zza Duomo	76,9
Siracusa	via Teracati	78,7	**Bolzano**	v.le Druso	76,9
Verona	via Mantovana	78,3	**Novara**	corso Trieste	76,8
Firenze	viale Gramsci	78,3	**Bari**	via Redavid	76,6
Macerata	via Leopardi	77,9	**Pesaro**	via Milano	76,3
Torino	corso Francia	77,7	**L'Aquila**	v.le Croce Rossa	76,1
Vicenza	v.le del Sole	77,3	**Bologna**	via San Vitale	75,8
Cagliari	Is Mirrionis	77,2	**Lecce**	v.le Japigia	75,7
Palermo	via Roma	77,2	**Padova**	via San Francesco	75,5

21 Ascolto *(Libro degli esercizi, p. 37)*

22 Situazioni

Siena

1. Pensi di lasciare la tua città per andare a vivere in un'altra più piccola non solo per cambiare ambiente, ma soprattutto perché non sopporti il traffico, l'inquinamento ecc. Il/la tuo/a compagno/a (B) non è affatto d'accordo, perché crede di poter vivere solo in una grande città con tutte le comodità, il suo lavoro, la vita sociale ecc.

2. *A* sta per decidere in quale città italiana andare in vacanza (oppure per motivi di studio). Fa quindi delle domande a *B*, che è già vissuto in Italia, sulle condizioni di vita in alcune grandi città. Drammatizzate il dialogo relativo.

23 Scriviamo

Dopo l'urbanizzazione, la tendenza cioè ad andare a vivere nelle grandi città, degli anni '50 e '60, negli ultimi anni non sono pochi quelli che tornano a vivere in quelle più piccole. Perché secondo voi? Cos'è cambiato nel frattempo? Motivate le vostre risposte. (120-160 p.)

Fate il test finale dell'unità

Roma

La *città eterna*, capitale del più grande impero dell'antichità, capitale d'Italia dal 1870, sorge su sette colli, si estende sulle due rive del fiume Tevere e oggi conta circa tre milioni di abitanti.

La sua gloria ed il suo passato storico attirano milioni di turisti che la visitano ogni anno per ammirarne gli splendidi e innumerevoli monumenti: è, forse, proprio vero che "tutte le strade conducono a Roma" come si diceva duemila anni fa.

Oggi è una città caotica, specie nelle ore di punta. Il mezzo più conveniente per muoversi resta senza dubbio l'autobus, a cui è permesso l'accesso anche nelle zone chiuse al traffico ordinario. La metropolitana, d'altra parte, permette di raggiungere facilmente le zone più centrali.

Dei tanti monumenti sparsi per la città, tra palazzi più o meno nuovi, particolare riferimento meritano:

La Fontana di Trevi

◆ il **Foro romano** e il **Palatino**, centri religiosi, politici e commerciali della Roma antica; in questa zona archeologica ci sono le rovine di numerosi templi, palazzi degli imperatori romani ecc.;

◆ il **Colosseo**, simbolo dello splendore della città antica, costruito nell' 80 d.C. da Flavio; lì 50.000 spettatori potevano assistere a spettacoli di ogni genere, come combattimenti tra gladiatori, battaglie navali ecc.;

◆ **Piazza Navona**, riservata ai pedoni, è uno dei ritrovi più piacevoli ed animati di Roma. Al centro s'innalza la *Fontana dei Fiumi*, capolavoro barocco del Bernini (terminata nel 1651);

◆ **Piazza di Spagna**, frequentatissima da turisti e giovani, si chiama così poiché lì era situata l'ambasciata di Spagna. L'enorme *scalinata* porta in alto alla chiesa di *Trinità dei Monti*;

◆ la **Fontana di Trevi**, grandioso e bellissimo monumento barocco di Nicola Salvi (1762). I turisti per antica tradizione gettano una moneta nella vasca come augurio di un ritorno a Roma;

Piazza di Spagna e Trinità dei Monti

◆ la **Basilica di San Pietro**, è la più grande e bella del mondo; enorme la sua *Piazza*, circondata dal maestoso *portico* del Bernini. Bellissimo anche il suo interno dove possiamo ammirare la *Pietà* di Michelangelo. Da vedere la *Cappella Sistina*, le *Stanze* di Raffaello, i *Musei Vaticani*. La basilica è situata al centro della *Città del Vaticano*, il più piccolo stato indipendente del mondo. Capo dello Stato e della Chiesa cattolica è il Papa che parla ai numerosissimi fedeli presenti in Piazza.

Altri monumenti importanti di Roma sono il *Campidoglio* (sede del Comune), il *Pantheon*, *Castel Sant'Angelo*, le *catacombe*, le *Terme di Caracalla*, la Basilica di *San Giovanni in Laterano* e tanti altri.

San Pietro

45

1. Roma:

❑ a. è la capitale d'Italia da duemila anni
❑ b. è piena di tesori d'arte
❑ c. non dispone del metrò
❑ d. è una città tranquilla

2. Un posto in cui ci si può rilassare è:

❑ a. il Colosseo
❑ b. Piazza di Spagna
❑ c. il Foro Romano
❑ d. Piazza San Pietro

3. Tra l'altro Roma è:

❑ a. il centro dell'economia italiana
❑ b. il più piccolo stato indipendente del mondo
❑ c. il centro del mondo cattolico
❑ d. circondata da fiumi

Milano

Capoluogo della Lombardia, è la città più europea d'Italia. Ricca e moderna, è il centro dell'industria (insieme a Torino), del commercio, della moda e dell'economia. Le grandi banche e aziende italiane che ci hanno sede, la Borsa Valori e la Fiera, fanno di Milano un'importantissima città a livello europeo e mondiale.

I suoi 1.400.000 abitanti riescono a... sopportare il traffico ed i problemi di parcheggio grazie alle 3 linee della metropolitana, agli autobus e ai tram. Quelli che non ce la fanno vanno a vivere in periferia, in nuove zone residenziali (Milano2, Milano3).

Il monumento più rappresentativo di Milano è senz'altro il *Duomo*, di stile gotico, una delle più grandi e belle cattedrali del mondo. La sua *Piazza* e la *Galleria Vittorio Emanuele II*, che si trova proprio accanto, sono i punti d'incontro dei milanesi, che lavorano più di quanto si divertano.

Il Duomo

Altri monumenti importanti sono il *Teatro alla Scala*, il più celebre teatro lirico del mondo, e il *Castello Sforzesco*, un tempo residenza dei duchi di Milano.

Bologna

La "dotta" delle città italiane, poiché sede della prima Università del mondo (1119), è la capitale gastronomica d'Italia: grandissima la sua varietà di formaggi, salumi e vini. Ha mantenuto, almeno al centro, la sua architettura medievale, anche se delle oltre duecento torri ne sono rimaste pochissime, di cui le più famose sono quelle pendenti della *Garisenda* e degli *Asinelli* (100 m, 486 scalini). La *Chiesa di San Petronio*, *Piazza Maggiore* e *Piazza del Nettuno* completano il centro storico. Sotto i portici, protetti dalla pioggia, turisti e studenti vanno a spasso per gli eleganti, ma altrettanto cari, negozi e i tanti caffè di questa tranquilla e, al tempo stesso, vivace città.

Sotto i portici di Bologna

A quale città corrisponde ogni affermazione? Non importa se avete parole sconosciute

	Milano	Bologna
1. Ci vivono ancora molti studenti.		
2. È famosa per la sua cucina.		
3. Il suo centro è spesso bloccato.		
4. È moderna, nonostante i tanti palazzi vecchi.		
5. I suoi abitanti sono delle vere "formiche".		
6. Ha un carattere molto internazionale.		

Venezia

La "Serenissima" è una città costruita sull'acqua: su 119 piccole isole divise da 160 canali e collegate da 350 ponti. Milioni di turisti restano incantati dai tanti suoi tesori d'arte che rischiano di finire sotto l'acqua, poiché Venezia affonda lentamente (mezzo centimetro all'anno). In *Piazza San Marco*, cuore del più meraviglioso Carnevale del mondo, sorge la *Basilica* (costruita nel 1073), esempio di arte bizantina. Proprio accanto si trova il *Palazzo Ducale*, simbolo della gloria e della potenza veneziana e residenza dei dogi. Dal famoso *Ponte dei Sospiri* passavano sospirando i condannati (tra cui anche Giacomo Casanova). Il bellissimo *Ponte di Rialto*, con le sue botteghe, che attraversa il Canal Grande e i tanti splendidi palazzi completano il quadro di questa straordinaria città.

Il Ponte dei Sospiri

Napoli

"Vedi Napoli e poi muori" si diceva una volta. Fondata dai greci nel V sec. a.C. con il nome *Neapolis* (città nuova), è la più importante città dell'Italia del Sud. Situata su un grande golfo, sotto il Vesuvio, è stata per sei secoli la capitale del Regno di Napoli; di questo periodo glorioso ci rimangono molti importanti tesori d'arte. La realtà, però, in questa affascinante città è diversa: miseria, criminalità, disoccupazione, traffico; ma anche gente aperta e cordiale, buona cucina (lì sono nati la pizza e gli spaghetti), bel tempo e forse il dialetto italiano più musicale. *Castel Nuovo* (o *Maschio Angioino*, costruito nel 1282) e il *Teatro San Carlo* sono i più celebri tra i suoi tanti monumenti.

Sullo sfondo il golfo e il Vesuvio

	Venezia	Napoli
1. Le sue origini sono molte antiche.		
2. Non ha quasi per niente macchine.		
3. Ha avuto a lungo un re.		
4. In futuro forse non sarà più la stessa.		
5. Mille anni fa i greci vi hanno lasciato le loro tracce.		
6. Ha molti problemi da risolvere.		

Un po' di storia

Il signor Lippi parla con Antonello, suo figlio, che ha alcuni dubbi sulla storia
romana. Ascoltate il loro dialogo senza guardare il testo.

1 *Ascoltate di nuovo il brano e rispondete alle domande*

	vero	falso

1. Romolo fu il fondatore di Roma.
2. Prima di diventare Impero, Roma era una repubblica.
3. Cesare fu un bravissimo generale, ma un cattivo uomo.
4. I problemi dei cristiani cominciarono a causa di Augusto.

Antonello: Papà, dimmi una cosa, chi fondò Roma: Romolo o Remo?

sig. Lippi: Ma non vi insegnano niente a scuola? Fu Romolo che uccise Remo.

Antonello: Ho capito; quindi lui fu anche il primo imperatore di Roma?

sig. Lippi: Da quanto vedo ti devo spiegare un po' di cose. Dunque, all'inizio Roma era solo un villaggio dove abitavano i soldati romani. Piano piano diventarono più potenti dei loro vicini, come gli etruschi, i greci della Magna Grecia ecc.

Antonello: Ah, questi li ricordo: ce ne ha parlato la maestra.

sig. Lippi: Meno male che imparate qualcosa ogni tanto! ...Ben presto i romani sconfissero gli altri popoli della penisola e fondarono una repubblica.

Antonello: Ho capito. E chi fu il primo imperatore di questa repubblica, Cesare?

sig. Lippi: Aspetta, all'inizio non c'erano imperatori. Presto i romani cominciarono le guerre contro altri popoli: così Roma conquistò quasi tutta l'Europa e parte dell'Asia. Giulio Cesare, che era uno dei più grandi generali di Roma, alla fine ne diventò dittatore.

Antonello: Allora era cattivo?

sig. Lippi: Tutt'altro! Fu un grandissimo uomo ma, purtroppo, ebbe una tragica fine: era tanto amato dal popolo di Roma, che i patrizi, invidiosi appunto della sua popolarità, lo uccisero in Senato.

Antonello: Che peccato! E dopo chi diventò imperatore?

sig. Lippi: Uno dei più grandi fu Augusto che si mostrò bravo e governò per molti anni. Però non tutti gli imperatori furono buoni quanto lui; come, per esempio, il pazzo Caligola che nominò senatore il suo cavallo, o Nerone che bruciò Roma e poi accusò i cristiani. Fu allora che ebbero inizio le loro persecuzioni.

Antonello: Adesso credo di aver capito tutto. Papà, un'ultima domanda: Asterix quando diventò imperatore?!!

Il Colosseo e
il Foro Romano

2 _Leggete il brano ad alta voce in modo quanto più "italiano" possibile, imitando magari la pronuncia e l'intonazione dei parlanti della cassetta_

3 _In base a quanto letto rispondete prima oralmente e poi per iscritto (15-20 p.) alle domande_

1. Cosa sapete di Romolo e Remo? ....
....

2. In che modo Roma diventò repubblica? ....
....

3. Come diventò impero? ....
....

4. Cosa sapete di Giulio Cesare? ....
....

5. Cosa sapete degli altri imperatori citati? (15-25 p.) ....
....

4 _Il giorno dopo Antonello racconta alla sua maestra tutto ciò che ha imparato, ma confonde un po' (anzi, completamente) nomi e fatti. Completate il dialogo con le parole date a fianco_

Antonello:	Signora maestra, io so chi era Romolo. Mio padre mi ha raccontato tutto.	***cominciarono***
maestra:	Bravo, Tonino! Dai, racconta ai tuoi compagni cosa hai imparato.	
Antonello:	Allora Romolo .... Cesare e fondò l'Impero romano. Poi i romani .... le guerre contro altri popoli, come gli etruschi, gli americani ecc. e .... una repubblica.	***fondarono*** ***bruciò***
maestra:	Tonino, forse hai confuso un po' le cose che ti ha detto tuo padre. Romolo uccise suo fratello Remo.	***ebbe***
Antonello:	Ah sì, adesso mi ricordo; ma poi .... una tragica fine perché i patrizi lo .... in Senato.	
maestra:	Di nuovo lo confondi con Cesare. Di lui ricordi qualcos'altro?	***fu***
Antonello:	Certo: Cesare .... i cristiani e nominò senatore Augusto.	
maestra:	Ragazzi, non date retta a quello che dice Antonello! Adesso vi spiego io come andarono veramente le cose.	***uccisero***
Antonello:	Ma perché, non è vero che Augusto .... senatore e nemico di Asterix?	***uccise***
maestra:	No, Asterix fu un nemico di Cesare! Ma che dico?!!	

5 _In base a quanto avete letto scrivete un breve riassunto (40-50 p.) del dialogo introduttivo_

Il passato remoto		
-are	-ere	-ire
and**ai**	cred**ei** (-**etti**)	cap**ii**
and**asti**	cred**esti**	cap**isti**
and**ò**	cred**é** (-**ette**)	cap**ì**
and**ammo**	cred**emmo**	cap**immo**
and**aste**	cred**este**	cap**iste**
and**arono**	cred**erono** (-**ettero**)	cap**irono**

6 *Costruite frasi orali mettendo il verbo tra parentesi al passato remoto*

1. La repubblica romana (*durare*) ben cinque secoli.
2. Loro (*insistere*) tanto che alla fine io (*accettare*).
3. Dieci anni fa (*partire*) dal suo paese per andare a vivere in una grande città.
4. In quel momento voi non mi (*prendere*) sul serio.
5. Mi ricordo che, appena tu (*finire*), (*partire*).
6. Quando noi (*arrivare*) in città, in giro non c'era nessuno.
7. In quel momento (*temere*) veramente per la mia vita.
8. Nel 1492 il genovese Cristoforo Colombo (*scoprire*) l'America.

Nel *Libro degli esercizi* vedete n. 1 - 4

Il passato remoto si usa:

☞ per azioni lontane nel tempo, vale a dire storiche oppure non legate al presente;
☞ per azioni che il parlante non trova interessanti e, scegliendo il *passato remoto* al posto del *passato prossimo,* mostra appunto questo disinteresse. Si tratta quindi di una scelta di stile e soggettiva;
☞ soprattutto nella lingua scritta (e ancora di più nei racconti letterari) e meno in quella parlata (ad eccezione del Sud d'Italia).

7 **Precisare - spiegarsi**

Non mi va di andare al cinema con te; **voglio dire** che purtroppo abbiamo gusti diversi.

CINEMA OSCAR
OGGI:
La notte dei morti

Stefano è un po' indiscreto, **cioè** a volte mi fa delle domande troppo personali.

Allora, **mi spiego**: ho reagito in questo modo perché mi sono sentito offeso.

È un tipo strano, **nel senso che** è sempre distratto ed enigmatico.

Vittorio ha realizzato il suo sogno, **vale a dire** una Ferrari, anche se di seconda mano.

Adesso formate frasi usando le espressioni di prima e poi vedete l'esercizio n. 5 nel Libro degli esercizi

8 *Leggete il fumetto che segue e rispondete alle domande*

1. Caius Bonus voleva:
   - ❑ a. procurare a Cesare la pozione magica
   - ❑ b. diventare imperatore con l'aiuto di Asterix
   - ❑ c. assassinare Cesare

2. Cesare:
   - ❑ a. non crede alle parole di Asterix
   - ❑ b. decide di dare Caius Bonus in pasto ai leoni del Colosseo
   - ❑ c. affida a Caius Bonus una missione pericolosa

3. Alla fine:
   - ❑ a. Cesare lascia andare i due Galli
   - ❑ b. i due diventano amici del cuore
   - ❑ c. si danno un appuntamento

Verbi irregolari (I)

avere	essere	dare	dire
ebbi	fui	diedi (detti)	dissi
avesti	fosti	desti	dicesti
ebbe	fu	diede (dette)	disse
avemmo	fummo	demmo	dicemmo
aveste	foste	deste	diceste
ebbero	furono	diedero (dettero)	dissero

fare	mettere	stare	vedere
feci	misi	stetti	vidi
facesti	mettesti	stesti	vedesti
fece	mise	stette	vide
facemmo	mettemmo	stemmo	vedemmo
faceste	metteste	steste	vedeste
fecero	misero	stettero	videro

9 *Completate le frasi che seguono scegliendo tra i verbi di sopra*

1. Ormai so bene che io .... male ad accettare la tua proposta.
2. A 23 anni lui si .... a scrivere il suo primo libro che .... un successo.
3. .... tre figli anche se non si sposarono mai.
4. Quando sentii queste parole gli .... uno schiaffo.
5. E tu cosa Le .... quando ti confessò tutto?
6. Quella notte noi .... un film la cui trama assomigliava alla nostra storia.
7. È vero che per due anni tu e Laura .... insieme?
8. Gli .... che lo avrei sposato, ma lui non ci credette subito.

Nel *Libro degli esercizi* vedete n. 6 - 10

10 *Completate la favola che segue, inserendo una parola in ogni spazio*

A sbagliare le storie

◇ C'era una volta una bambina che si chiamava Cappuccetto Giallo.

◆ No, Rosso!

◇ Ah, sì, Cappuccetto Rosso. La sua mamma la chiamò e le
.............................: Senti, Cappuccetto Verde...

◆ Ma no, Rosso!

◇ Ah, sì, Rosso. Vai dalla zia Diomira a portarle questa buccia di patata.

◆ No: vai dalla nonna a portarle questa focaccia.

◇ Va bene: La bambina .... nel bosco e incontrò una giraffa.

◆ Che confusione! Incontrò un lupo, non una giraffa.

◇ E il lupo le domandò: Quanto .... sei per otto?

◆ Niente affatto. Il lupo le chiese: dove vai?

◇ Hai ragione. E Cappuccetto Nero ....

◆ Era Cappuccetto Rosso, rosso, rosso!

◇ Sì, e rispose: vado .... mercato a comprare la salsa di pomodoro.

◆ Neanche per sogno: Vado .... nonna che è malata, ma non so più la strada.

◇ Giusto. E il cavallo disse...

◆ Quale cavallo? Era un lupo.

◇ Sicuro. E disse così: Prendi il tram numero 33, scendi in piazza del Duomo, ...
.... a destra, troverai tre scalini e un soldo per terra; lascia stare i tre scalini, prendi
il soldo e comprati una gomma da masticare.

◆ Nonno, tu non sai proprio raccontare le storie, le sbagli tutte. Però la gomma da masticare .... la compri lo stesso.

◇ Va bene: eccoti il soldo!

E il nonno tornò a leggere il suo giornale...

da Favole al telefono di Gianni Rodari

11 *Osservate attentamente la foto e descrivetela; poi rispondete alle domande*

1. Questa, purtroppo, è un'immagine abbastanza consueta, soprattutto nei film d'avventura; in che modo ci influenzano queste scene, secondo voi?
2. A voi piace questo tipo di film o no, e perché?
3. Molte volte scene violente interrompono programmi per bambini; quali sono le conseguenze e cosa si dovrebbe fare per affrontare questo problema?
4. Quanto è violenta la società moderna, secondo voi?

Verbi irregolari (II)

Come vedete molti verbi seguono dei modelli di declinazione, presentando irregolarità solo in tre persone (1ª e 3ª singolare, 3ª plurale). In base a questa osservazione cercate di completare la scheda seguente.

molti verbi in -*dere* e -*ndere*

verbo	io	tu	lui/lei/Lei	noi	voi	loro
chiedere	chiesi	chiedesti	**chiese**	chiedemmo	chiedeste	**chiesero**
chiudere	chiusi	chiudesti				
decidere	decisi					
escludere	esclusi					
sorridere	sorrisi					
prendere	presi	prendesti	**prese**	prendemmo	prendeste	**presero**
rendere	resi					
rispondere	risposi					
scendere	scesi					
spendere	spesi					

in -*ncere* e -*ngere*

vincere	vinsi	vincesti	**vinse**	vincemmo	vinceste	**vinsero**
convincere	convinsi					
giungere	giunsi					
piangere	piansi					

in -*gliere*

cogliere	colsi	cogliesti	**colse**	cogliemmo	coglieste	**colsero**
scegliere	scelsi					
togliere	tolsi					

Altri verbi irregolari (ed i loro derivati): **apparire-apparsi, assumere-assunsi, discutere-discussi, distruggere-distrussi, esprimere-espressi, muovere-mossi, nascere-nacqui, piacere-piacqui, porre-posi, rimanere-rimasi, risolvere-risolsi, scrivere-scrissi, succedere-successe**

Infine, alcuni verbi con doppia consonante: **bere-bevvi, cadere-caddi, conoscere-conobbi, sapere-seppi, tenere-tenni, venire-venni, volere-volli**

Nel *Libro degli esercizi* vedete n. 11 - 15

12 *La tavola che segue riassume alcuni avvenimenti importanti della storia romana e italiana; osservandola, raccontate cos'è successo secondo l'esempio: "Nel 27 dopo Cristo Ottaviano ricevette il titolo di Augusto". Non cercate di capire ogni singola parola*

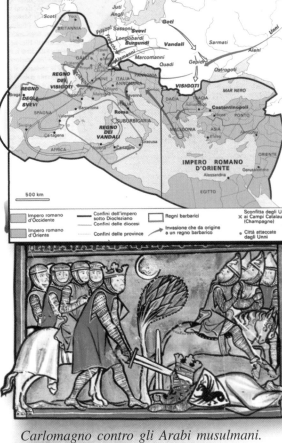

27	Ottaviano riceve dal Senato il titolo di Augusto e tutti i poteri.
313	Costantino concede la libertà di culto ai cristiani.
330	Costantino trasferisce la capitale dell'impero a Costantinopoli.
394	I figli di Teodosio il Grande dividono l'impero in due (d'Oriente e d'Occidente).
410	I Visigoti, popolo barbaro, scendono in Italia.
455	Un altro popolo barbaro, i Vandali distruggono Roma. Dopo di loro vengono gli Ostrogoti.
527	Giustiniano diviene imperatore d'Oriente e alcuni anni dopo vince gli Ostrogoti.
568	I Longobardi invadono l'Italia e occupano gran parte del Nord.
754	Il Papa chiede aiuto al re di Francia Pipino per proteggere Roma dai Longobardi.
774	Carlomagno, figlio di Pipino, sconfigge i Longobardi.
800	Carlomagno è incoronato Imperatore dei romani.
962	Con l'incoronazione di Ottone I di Sassonia è istituito il "Sacro Romano Impero Germanico".
11° sec.	I Normanni di Ruggero cacciano gli Arabi dalla Sicilia e presto diventano signori di tutta l'Italia.
1176	La "Lega Lombarda", l'unione cioè dei Comuni, sconfigge con l'aiuto del Papa l'imperatore Federico Barbarossa.
1266	Carlo d'Angiò, fratello del re di Francia, diviene re di Sicilia.
14° sec.	Molte grandi città si trasformano in Signorie, cioè in indipendenti città-stato, in lotta tra loro.

Carlomagno contro gli Arabi musulmani. Le avventure del suo paladino più famoso, il cavaliere Orlando, raccontò il più grande poeta italiano del Rinascimento, Ludovico Ariosto, nell'Orlando Furioso.

Nel *Libro degli esercizi* vedete n. 16

13 *In base alle informazioni di sopra scrivete in breve (80-100 p.) la storia dell'Italia fino al 14° secolo*

L'Italia degli stati regionali

Il trapassato remoto

Decisi di lasciarla dopo che **ebbi sopportato** per anni le sue bugie.
Solo quando l'aereo **fu atterrato** i passeggeri si calmarono.

Il *trapassato remoto* si usa (non molto spesso) in frasi introdotte da **quando, dopo che, non appena, appena (che);** esprime un'azione avvenuta prima di un'altra espressa con il *passato remoto*.

Nel *Libro degli esercizi* vedete n. 17

14 *Leggete i due testi che seguono e poi abbinate le affermazioni a quello corrispondente; non è importante capire ogni parola*

I Comuni

A Dopo l'anno Mille, la gente cominciò a tornare nelle città, lasciando la campagna ed i castelli dei feudatari, dove era fuggita anche per paura dei barbari. Grazie alla ripresa del commercio, si notò un risveglio della vita cittadina. Luoghi di ritrovo all'inizio, presto si trasformarono in veri e propri centri con una piazza centrale, una chiesa, il Municipio, strette stradine ecc. La popolazione era allora divisa in tre classi: i nobili, orgogliosi feudatari che cercavano di mantenere i loro poteri; i "borghesi", la nuova classe formata da mercanti e professionisti, forti grazie al loro denaro; ed, infine, il popolo, cioè la massa degli abitanti.

Perugia: Palazzo Comunale e Fontana maggiore

Piano piano queste città si organizzarono in Comuni: l'assemblea dei cittadini eleggeva i consoli che governavano per un breve periodo. All'inizio i consoli erano solo nobili, poi anche borghesi. Però questa scelta causò molte lotte tra le famiglie più potenti della città e spesso si preferiva nominare console un cittadino di un altro Comune.

Signorie e Principati

B Nel 14° secolo molti Comuni erano in mano a poche famiglie ricche. Il Signore, a volte nobile ma più spesso un ricco banchiere, deteneva tutti i poteri ed era capo assoluto della città. Spesso il Papa o l'Imperatore gli concedevano anche il titolo di Principe o Duca che lui trasmetteva ai suoi figli. Così i cittadini persero il diritto di eleggere il capo del Comune.

Il Duca di Urbino

I Signori cercavano di espandere il proprio dominio sulle città vicine. Nelle loro guerre, invece del loro popolo impreparato, usavano soldati di professione. In quel periodo, verso la fine cioè del medioevo, l'idea di un'Italia unita era molto lontana.

Ma i Signori, essendo spesso uomini di cultura, cercavano anche di abbellire le loro città e di coltivare le arti; a questo scopo chiamavano nelle loro corti i migliori artisti dell'epoca per riempire di opere d'arte le città, molte delle quali sono rimaste inalterate.

Tra le famiglie un caso particolare costituì a Firenze quella dei Medici, ricchi banchieri. Cosimo, fondatore della Signoria, non divenne mai principe o duca, ma governò per molti anni e fece della sua città una vera e propria città museo. Un altro caso furuno i Dogi della Repubblica di Venezia.

1. Le città cominciano a rivivere.   A/B
2. Sorge una nuova classe sociale.   A/B
3. Le famiglie più potenti prendono il controllo.   A/B
4. C'è un periodo di lotte tra le città.   A/B
5. Gli abitanti hanno il diritto di eleggere il capo della città. A/B
6. Guerre e creazione artistica vanno di pari passo.   A/B
7. Grazie al denaro, i ricchi diventano anche nobili.   A/B
8. Per evitare i problemi ci si affida ad uno straniero.   A/B

Avverbi di modo

vero-ver**a**	⇨ È **veramente** strano quello che ha detto.	
sincer**o**-sincer**a**	⇨ **Sinceramente** non mi va di uscire.	
ovvi**o**-ovvi**a**	⇨ Lui **ovviamente** ha negato tutto!	-a ⇨ amente
fort**e**	⇨ Ha **fortemente** difeso le sue idee.	-e ⇨ emente
apparent**e**	⇨ **Apparentemente** ha fatto un ottimo lavoro.	
veloc**e**	⇨ Devi agire quanto più **velocemente** puoi.	
ma: diffici**le**	⇨ Molto **difficilmente** mi fido di lui.	
fina**le**	⇨ Sono arrivati? **Finalmente**!	le ⇨ lmente
particola**re**	⇨ Sono **particolarmente** curioso.	re ⇨ rmente

---

Nel *Libro degli esercizi* vedete n. 18 - 19

---

15 **Ascolto** *Ascoltate il testo e rispondete alle domande
(Libro degli esercizi, p. 48)*

16 **Parliamo**

1. "Popolo che non ricorda la sua storia non ha futuro" si dice. Siete d'accordo e perché?
2. Qual è il periodo della storia (vostra o internazionale) che vi affascina di più e per quale motivo?
3. Quali erano i rapporti del vostro popolo con i romani? Con gli italiani nel medioevo? Cosa sapete della vita quotidiana in questi due periodi?
4. Quali sono gli avvenimenti più importanti della storia del vostro paese (nell'antichità, nello scorso secolo, in questo secolo, durante la 2ª guerra mondiale)? Presentateli in breve, se potete.

Il banchetto di un Signore del '400

17  **Scriviamo**

Raccontate un avvenimento (o periodo) della storia che ritenete molto importante o affascinante, giustificando anche la vostra scelta. (120-160 p.)

Fate il test finale dell'unità

Breve, anzi brevissima storia d'Italia

Dalle Signorie al dominio straniero

Nel '400 l'Italia era divisa in Signorie, cioè in piccoli stati indipendenti (pp. 55-6) spesso in lotta tra loro. Fu questo un periodo di intensa attività culturale, da cui prese origine il *Rinascimento* ('500), che lasciò innumerevoli tesori d'arte e vide alcuni dei più importanti personaggi della storia: Michelangelo, Leonardo, Raffaello (vedere 9ª unità), Galileo (p. 114) ecc.

La divisione, però, del territorio italiano in piccoli stati deboli attirò gli spagnoli, mentre i francesi erano già presenti al Sud. Dopo dure battaglie, gran parte della penisola passò sotto il dominio spagnolo, sia diretto (la Sicilia, Napoli e la Lombardia) che indiretto. Per circa due secoli ('500 e '600) l'Italia godé di un periodo di relativa pace, ma, nello stesso tempo, di decadenza culturale ed economica. Il popolo era spesso affamato visto che sia i Signori italiani che quelli spagnoli non se ne interessavano tanto.

Nel '700 la situazione cambiò di nuovo, con le guerre tra le grandi potenze europee; alla fine l'Italia passò sotto il dominio dell'Austria. Alcuni stati, comunque, conservarono in gran parte la loro indipendenza: le Repubbliche di Venezia e di Genova, il Ducato di Savoia (che comprendeva il Piemonte e la Sardegna) e lo Stato della Chiesa.

Verso l'Indipendenza

Dopo la rivoluzione francese, gli italiani videro in Napoleone Bonaparte la loro unica speranza di libertà. Napoleone, infatti, liberò l'Italia, fondando prima la *Repubblica Cisalpina* (1796) e poi il *Regno d'Italia* (al Nord) e quello di *Napoli* (al Centro-Sud). Questo breve periodo di tranquillità finì nel 1815, con la sconfitta di Napoleone, e parte dell'Italia tornò di nuovo sotto gli austriaci.

Intanto lo spirito d'indipendenza si diffondeva lungo tutta la penisola. Nel 1820 la *Carboneria*, una Società segreta, organizzò piccole rivolte al Sud, ma senza grande successo. Lo stesso esito ebbero le rivolte organizzate alcuni anni dopo da "La Giovane Italia", fondata da Giuseppe Mazzini. L'anno 1848 segnò l'inizio di un vero e proprio "Risorgimento": a Milano il popolo cacciò via gli austriaci, a Venezia successe lo stesso, mentre l'esercito piemontese entrò in Lombardia. Ma l'anno successivo tutto tornò come prima con il ritorno degli austriaci.

Cavour e (sotto) Garibaldi con la camicia rossa

Nel 1852 primo ministro dello Stato del Piemonte, che aveva come re Vittorio Emanuele II, divenne un uomo molto abile, il conte di Cavour; presto fece del Piemonte uno Stato abbastanza ricco e libero. Nel 1859, con l'aiuto di Napoleone III di Francia, vinse una breve guerra contro l'Austria e ottenne la Lombardia e l'anno dopo, attraverso dei plebisciti (votazioni popolari), anche la Toscana e l'Emilia.

Nel 1860 i mazziniani chiesero a Giuseppe Garibaldi, generale dell'esercito piemontese, di liberare la Sicilia. Lui, senza l'aiuto di Vittorio Emanuele II e di Cavour, riuscì a mettere insieme mille volontari. In pochi mesi Garibaldi ed i suoi "mille" liberarono l'intera isola e giunsero fino a Napoli; nello stesso tempo l'esercito piemontese conquistò l'Umbria e le Marche. Nel marzo del 1861 il Parlamento proclamò Vittorio Emanuele II Re d'Italia. Nel 1870, l'esercito italiano entrò a Roma, da secoli regno del Papa; così la città eterna diventò finalmente capitale d'Italia.

1. Com'era la situazione in Italia tra il '500 e il '700?
2. Quali sono i primi tentativi degli italiani per ottenere l'Indipendenza?
3. Riassumete in breve (50-60 p.) gli avvenimenti del periodo tra il 1852 e il 1870.

Dall'Unità al fascismo

All'indomani dell'Unità, l'Italia si presentava come un paese con gravi problemi; la grande maggioranza del popolo viveva in condizioni durissime, specialmente al Sud. Tanta era la povertà che milioni d'italiani emigrarono in America.

Qualcosa cominciò a cambiare nei primi anni del 20° secolo, grazie anche a Giovanni Giolitti, primo ministro. Nel 1915 l'Italia partecipò alla I guerra mondiale, nonostante l'opposizione del popolo. Riuscì a vincere l'Austria, ma al prezzo di ben 700.000 morti!

Dopo la guerra, l'Italia entrò di nuovo in crisi e il governo sembrava incapace di riportare la tranquillità. I militari e gli industriali cercavano un uomo forte e deciso; lo trovarono nella persona di Benito Mussolini, che aveva fondato il movimento fascista. Nelle elezioni del 1919 quest'ultimo ottenne pochissimi voti, ma i suoi seguaci cominciarono a terrorizzare e ad assassinare avversari politici. Nel 1921, 35 deputati del Partito Fascista entrarono in Parlamento.

Benito Mussolini

SE TU MANGI TROPPO
DERUBI LA PATRIA

L'anno seguente, i fascisti marciarono su Roma e Mussolini ricevette dal re l'incarico di formare un nuovo governo. Piano piano organizzò uno stato autoritario, basato sulla violenza e la paura. Presto fondò una vera e propria dittatura, senza partiti politici, né libertà di stampa.

Ormai chiamato *Duce*, Mussolini cercò di ottenere la simpatia del popolo con la propaganda: giornali, radio, cinema e perfino la scuola creavano l'immagine di un uomo saggio, eroico ed intelligente. Inoltre, creò organizzazioni giovanili, in cui i ragazzi (detti "balilla") imparavano ad amare il Duce e la patria e ad odiare i nemici. D'altra parte lui stesso era un bravissimo oratore, capace di entusiasmare le folle con il suo stile aggressivo, parlando della "superiorità" del popolo italiano e della gloria della patria.

Il regime cercava di controllare la vita degli italiani dovunque, perfino a tavola; altro famoso slogan dell'epoca era "Taci! Se parli tradisci la patria"! Erano arrivati al punto di proibire l'uso del "Lei", sostituendolo con il "voi", e ad abolire la stretta di mano come saluto...

L'avventura della II guerra mondiale

Per Mussolini l'unico mezzo per ridare all'Italia il suo antico splendore era la guerra; così nel 1935 conquistò l'Etiopia. Dopo scoppiò la II guerra mondiale, a cui Mussolini partecipò costretto dal suo grande alleato Hitler, con grande dispiacere degli italiani.

Nel 1943, con il bombardamento delle città italiane, la rabbia contro il fascismo cresceva. Il Gran Consiglio del fascismo, con l'aiuto del Re, fece arrestare Mussolini, il che entusiasmò il popolo. In seguito, i tedeschi occuparono l'Italia del Nord e liberarono Mussolini che fondò la "Repubblica sociale".

Nel luglio del '43 l'Italia dichiarò guerra alla Germania dando inizio alla Resistenza: i partigiani riuscirono a provocare gravi danni ai tedeschi che, per vendicarsi, uccisero moltissimi civili. Quando il 25 aprile del 1945 gli alleati arrivarono nel nord Italia, le brigate partigiane avevano già liberato le città. Tre giorni dopo moriva fucilato il Duce.

L'anno successivo, con un referendum, gli italiani decisero che non volevano più un re e che l'Italia sarebbe stata una Repubblica.

1. Come e per quali motivi Mussolini conquistò il potere?
2. In che modo controllò la vita politica e sociale?
3. Riassumete in breve (60-80 p.) cos'è successo in Italia tra il 1920 e il 1945.

Stare bene

Francesca e Roberto sono colleghi. Ascoltate il loro dialogo senza guardare il testo scritto.
Non vi preoccupate se avete parole sconosciute.

1 *Ascoltate di nuovo il brano e rispondete alle domande*

1. Roberto si preoccupa molto della sua salute.
2. Anche Francesca non sta tanto bene ultimamente.
3. Secondo lei, Roberto dovrebbe cambiare modo di vita.
4. Roberto va in palestra due o tre volte alla settimana.

vero	falso

Francesca:	Ultimamente hai una faccia stanca. Come mai?
Roberto:	Che ne so, può darsi che la mia faccia si stanchi molto.
Francesca:	Dai, parlo sul serio. Dimmi una cosa: dormi abbastanza?
Roberto:	Dipende: se dormo da solo, sì!
Francesca:	Uffa! Sei insopportabile! Io cerco solo di aiutarti.
Roberto:	Va bene; a dire la verità non mi sento tanto bene.
Francesca:	Ma si vede: sembri stressato, debole, esaurito...
Roberto:	Lo so, ma è possibile che oggi uno non sia stressato, con questi ritmi frenetici? Tu, comunque, anche se lavori quanto me, sei sempre fresca. Immagino che ieri tu abbia dormito parecchio, vero?
Francesca:	No, non più di tanto. Il sonno è importantissimo, ma non pensare che sia l'unico segreto dello star bene. Per esempio, dubito che tu abbia mangiato qualcosa stamattina.

Newform
Fitness senza stress

Roberto:	Beh, come al solito, ho bevuto un caffè. Ristretto pure!
Francesca:	Ecco, vedi? Senza vitamine è logico che tu non abbia energia. E da quanto tempo non vai in palestra?
Roberto:	Credo che siano passati più di due anni. Ma non penso che chi lavora tanto ci possa andare spesso.
Francesca:	Se, invece, uno sa come allenarsi va al lavoro pieno di vitalità.
Roberto:	È probabile che tu abbia ragione: la mia fidanzata che va in piscina è sempre in forma e non si ammala mai. E insiste che io pratichi qualche sport. Ma il tempo chi ce l'ha?
Francesca:	Ma non è necessario che tu vada ogni giorno in palestra; credo che due o tre volte alla settimana bastino. Sicuramente è importante che cambino le tue abitudini alimentari. Almeno prendi qualche integratore, no?
Roberto:	Ecco: farò proprio così. Peccato che non ci siano anche palestre in pillole!!!

2 _Leggete il brano ad alta voce in modo quanto più "italiano" possibile, imitando magari la pronuncia e l'intonazione dei parlanti della cassetta_

3 _In base a quanto avete letto rispondete prima oralmente e poi per iscritto (15-20 p.) alle domande_

1. Perché Francesca dice che Roberto è insopportabile? ....

....

2. Perché si preoccupa di lui? ....

....

3. Che consigli gli dà? ....

....

4. Cosa pensa Roberto dell'allenamento? ....

....

5. Alla fine che cosa decide? ....

....

4 _Dopo la discussione con Francesca, Roberto sembra deciso a fare dei cambiamenti; ne parla, quindi, con la sua fidanzata, Chiara. Completate il loro dialogo con le parole date_

Roberto:	Ultimamente non sto tanto bene, il che mi preoccupa molto. E penso che i motivi .... la mancanza di sonno e lo stress.	*cambi*
Chiara:	Sì, anch'io credo che tu .... molto stress, amore. E, poi, non ti nutri per niente bene. Per non parlare del fatto che non ti alleni mai.	*abbia* *preso*
Roberto:	Uffa, non cominciare! Ok, hai ragione: è necessario che io .... modo di vita.	*sia*
Chiara:	Però sbrigati, altrimenti, presto avrai problemi di salute. Suppongo che tu .... a cosa devi fare.	*siano*
Roberto:	Sì, più o meno. Anzitutto penso di ricominciare ad andare di nuovo in palestra. Sai, non ogni giorno; una, al massimo due volte alla settimana.	*abbia*
Chiara:	Ah, così spesso?! Non credi che .... un'esagerazione?!!	*basti*
Roberto:	No, mi pare che .... così. Poi, il sonno: è indispensabile che gli adulti .... almeno otto ore al giorno.	*possa*
Chiara:	Ho capito... quindi, quando usciamo dobbiamo tornare più presto perché tu .... dormire abbastanza.	*abbia* *pensato*
Roberto:	Appunto! E, infine, una giusta alimentazione: la base della salute. Così ho comprato un ottimo integratore nutritivo: una pastiglia al giorno e sono pieno di vitamine.	*dormano*
Chiara:	Amore, sono contenta che tu .... decisioni tanto importanti!!!	

5 _In base a quanto avete letto scrivete un breve riassunto (40-50 p.) del dialogo introduttivo_

Osservate:

"La mia fidanzata *vuole che* io <u>pratichi</u> qualche sport."

"*È importante che* <u>cambino</u> le tue abitudini."

"*È indispensabile che* gli adulti <u>dormano</u> almeno 8 ore al giorno."

"Com'è *possibile che* uno non <u>sia</u> stressato?"

"Non *penso che* uno <u>possa</u> andare spesso in palestra."

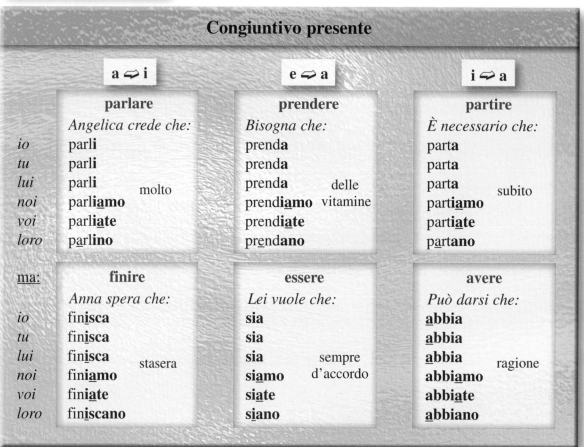

Congiuntivo presente

	a ⇆ i		e ⇆ a		i ⇆ a	
	parlare		**prendere**		**partire**	
	Angelica crede che:		*Bisogna che:*		*È necessario che:*	
io	parli		prenda		parta	
tu	parli		prenda		parta	
lui	parli	molto	prenda	delle	parta	subito
noi	parliamo		prendiamo	vitamine	partiamo	
voi	parliate		prendiate		partiate	
loro	parlino		prendano		partano	

	finire		**essere**		**avere**	
<u>ma:</u>	*Anna spera che:*		*Lei vuole che:*		*Può darsi che:*	
io	finisca		sia		abbia	
tu	finisca		sia		abbia	
lui	finisca	stasera	sia	sempre	abbia	ragione
noi	finiamo		siamo	d'accordo	abbiamo	
voi	finiate		siate		abbiate	
loro	finiscano		siano		abbiano	

6 *Osservando la scheda formate frasi orali mettendo il verbo tra parentesi al congiuntivo*

1. Bisogna che tu (*lavorare*) di meno, sembri molto stanco.
2. Mio marito vuole che io (*cucinare*) ogni giorno; ma scherziamo?!
3. Speriamo che i tuoi genitori non ci (*sentire*)!
4. Se non mandi la lettera espresso può darsi che io non la (*ricevere*) in tempo.
5. Mi pare che voi non (*avere*) voglia di lavorare seriamente.
6. È necessario che noi (*arrivare*) prima che (*arrivare*) loro.
7. Non sono sicuro che tu (*essere*) la persona giusta per questo posto.
8. Signora, sembra che (*preoccuparsi*) senza motivo.

Nel *Libro degli esercizi* vedete n. 1 - 4

Congiuntivo passato

Diana crede che io **abbia parlato** male di lei, il che non è vero.
Ma non è possibile che tu **abbia cambiato** di nuovo macchina!
Può darsi che **abbiano perso** la strada, per cui sono in ritardo.

Non credo che tu **sia venuta** solo per chiedermi scusa!
Sono contento che voi **siate riusciti** a superare il test finale.
È possibile che le ragazze **siano** già **partite** senza dire niente?

Nel *Libro degli esercizi* vedete n. 5 - 6

7 Permettere - tollerare

Ti dà fastidio se porto anche Lidia alla tua festa?

No, **portala pure!**

Senti, probabilmente stasera io non vengo con voi.

Fa' come vuoi! Tanto per me è lo stesso!

Amore, penso di comprare un motorino nuovo. Sono stufa di quello che ho adesso.

Per me va bene. Se lo devi fare, fallo!

La Dolce Vespa

Posso prendere di nuovo in prestito il tuo libro?

Fa' come ti pare!

Possiamo usare il vostro telefono?

Certo! Fate pure!

8 ▷ Sei A: *di' a B che:*

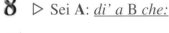
Role-play

◆ probabilmente farai tardi al vostro appuntamento
◆ gli/le comprerai qualcosa per il suo compleanno
◆ non gli/le puoi dare in prestito tutti i cd che ti ha chiesto
◆ devi assolutamente usare il suo cellulare
◆ vorresti usare di nuovo il suo computer
◆ prenderai la sua bici perché il tuo motorino non va

▷ Sei B: *rispondi ad A usando le espressioni di sopra*

Verbi irregolari al congiuntivo

Come vedete le forme irregolari del presente congiuntivo
si formano dal presente indicativo dei verbi

Infinito	Indicativo	Congiuntivo presente			
andare	vado	vada	andiamo	andiate	vadano
dire	dico	dica	diciamo	diciate	dicano
fare	faccio	faccia	facciamo	facciate	facciano
salire	salgo	salga	saliamo	saliate	salgano
scegliere	scelgo	scelga	scegliamo	scegliate	scelgano
uscire	esco	esca	usciamo	usciate	escano
venire	vengo	venga	veniamo	veniate	vengano
volere	voglio	voglia	vogliamo	vogliate	vogliano
porre	pongo	ponga	poniamo	poniate	pongano
potere	posso	possa	possiamo	possiate	possano
_ma:_					
dare	do	dia	diamo	diate	diano
dovere	devo	debba	dobbiamo	dobbiate	debbano
sapere	so	sappia	sappiamo	sappiate	sappiano
stare	sto	stia	stiamo	stiate	stiano

9 _Osservando i verbi di sopra formate frasi orali_

1. Non è giusto che voi (_andare_) a spasso mentre io resto a casa a studiare!
2. Può darsi che alla fine Stefano (_riuscire_) a trovare dei biglietti per la partita.
3. Non credo che quei due (_stare_) più insieme; probabilmente si sono lasciati.
4. Laura pensa che tu le (_dovere_) chiedere scusa per il tuo comportamento.
5. Scusi, è possibile che Lei mi (_dare_) una mano? Da sola non ce la faccio.
6. Bisogna che loro (_dire_) subito la verità; se no, si metteranno nei guai.
7. La mia ragazza vuole che io (_fare_) una vita più sana.
8. È necessario che (_venire_) anche noi? Stasera c'è il Milan in diretta...

Nel *Libro degli esercizi* vedete n. 7 e 8

Cosa invecchia

Cosa mantiene giovane

Curiosi sì,
stressati no.

10 **Come mantenersi giovani**

1. Anzitutto, perché si vuole restare giovani?
2. Quanto sani credete che sarete in futuro secondo le segnalazioni di questo disegno? Parlatene.

3. Quanto è equilibrata la vostra alimentazione (quantità - qualità)? È importante che lo sia, secondo voi? Spiegate.

4. Fate degli abusi (bere, mangiare, fumare, dormire poco) e perché? Se sì, è qualcosa che vi preoccupa?

5. **Scriviamo** Scrivete una lettera ad un amico in cui annunciate e motivate la vostra decisione di cambiare completamente stile e ritmo di vita e di praticare qualche sport, prima che sia troppo tardi. (120-150 p.)

Uso del congiuntivo (I)

Usiamo il congiuntivo in frasi dipendenti da altre che esprimono generalmente soggettività, volontà, incertezza, stato d'animo ecc., ma solo <u>quando i due verbi hanno soggetti diversi</u>. In particolare quando esprimono:

Opinione soggettiva:	**Credo / penso / direi che** tu *debba* accettare la mia offerta.
	Immagino / suppongo / ritengo che tutto *sia finito.*
	Mi pare / mi sembra / ho l'impressione che lei *fumi* troppo.
Incertezza:	**Non sono sicuro / certo che** Mario *sia* veramente bravo.
	Dubito che Anna Maria *abbia pensato* a questa cosa.
	Non so se / ignoro se *si sia* già *laureato.*
Volontà:	**Voglio / non voglio che** tu *faccia* tardi stasera.
	Desidero / preferisco che voi *restiate* a casa.
Stato d'animo:	**Sono felice / contento che** il viaggio *abbia avuto* successo.
	Mi fa piacere / mi dispiace che le cose *stiano* così.
Speranza:	**Spero / mi auguro che** tutto *finisca* bene.
Attesa:	**Aspetto che** *arrivi* mia madre per uscire.
Paura:	**Ho paura / temo che** lui *se ne vada.*

Verbi o forme impersonali:	**Bisogna / occorre che** voi *torniate* presto.
	Può darsi che Tiziana non *possa* venire con noi.
	Si dice / dicono che Carlo e Lisa *si siano lasciati.*
	Pare / sembra che *siano* ricchi sfondati.
	È necessario / importante che io *abbia* più tempo.
	È opportuno / giusto che questa storia *finisca* qui.
	È ora / tempo che tu mi *dica* tutta la verità.
	È bene / male che *siate venuti* presto.
	È meglio / peggio che io *inviti* tutti quanti?
(non)	**È normale / naturale / logico che** ci *sia* traffico a quest'ora?
	È preferibile che io non *esca* con voi; sono di cattivo umore.
	È strano / incredibile che Gianna *abbia reagito* così male.
	È possibile / impossibile che tutti *siano fuggiti.*
	È probabile / improbabile che lei *sappia* già tutto.
	È facile / difficile che uno *dia* l'impressione sbagliata.
	È un peccato che *abbiate perso* questo spettacolo. <u>ecc.</u>

<u>Attenzione! Se una frase, invece, esprime certezza o oggettività usiamo l'indicativo:</u>
-Sono sicuro che lui è un amico. / -So che è partito ieri. / -È chiaro che hai ragione.

11 *Usate il congiuntivo dove necessario*

> Luigi ha dei problemi. (*credo*)
> *Credo che Luigi abbia dei problemi.*

1. Capisci come usare il congiuntivo, vero? (*non è difficile*)
2. I nuovi giocatori sono veramente bravi. (*sono certo*)
3. Decide sempre lui; in fin dei conti è il capo. (*è giusto*)
4. La lezione sta finendo; sono stanco morto. (*spero*)
5. Secondo me, lei ha più di quarant'anni. (*si dice*)
6. Fa' presto! Siamo già in ritardo. (*bisogna*)
7. Vengono anche gli zii per le feste? (*sai se*)
8. Anna ce l'ha fatta da sola. (*dubito*)

> Nel *Libro degli esercizi* vedete n. 9 - 11

Su, su, ragioniere! Che cosa sono tutti questi discorsi sullo stress?

12 **Vita: ma che stress!!!**

Tutti i cambiamenti della vita, non necessariamente negativi, possono essere fattori di stress. Un gruppo di ricercatori ne ha creato una graduatoria. Osservatela in coppia; in seguito ascoltate le persone che parlano e prendete appunti. Chi credete sia quella più stressata?

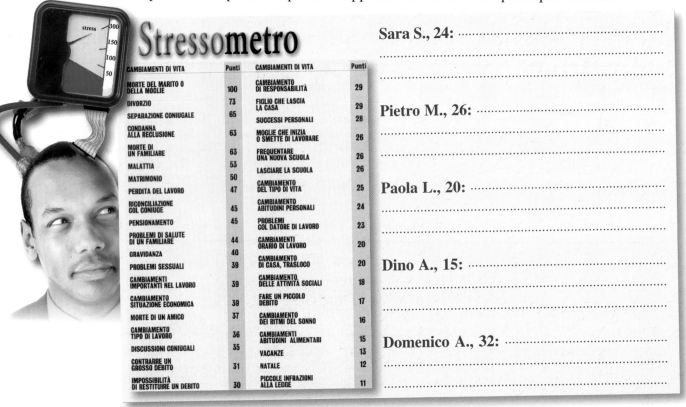

Stressometro

CAMBIAMENTI DI VITA	Punti	CAMBIAMENTI DI VITA	Punti
MORTE DEL MARITO O DELLA MOGLIE	100	CAMBIAMENTO DI RESPONSABILITÀ	29
DIVORZIO	73	FIGLIO CHE LASCIA LA CASA	29
SEPARAZIONE CONIUGALE	65	SUCCESSI PERSONALI	28
CONDANNA ALLA RECLUSIONE	63	MOGLIE CHE INIZIA O SMETTE DI LAVORARE	26
MORTE DI UN FAMILIARE	63	FREQUENTARE UNA NUOVA SCUOLA	26
MALATTIA	53	LASCIARE LA SCUOLA	26
MATRIMONIO	50	CAMBIAMENTO DEL TIPO DI VITA	25
PERDITA DEL LAVORO	47	CAMBIAMENTO ABITUDINI PERSONALI	24
RICONCILIAZIONE COL CONIUGE	45	PROBLEMI COL DATORE DI LAVORO	23
PENSIONAMENTO	45	CAMBIAMENTI ORARIO DI LAVORO	20
PROBLEMI DI SALUTE DI UN FAMILIARE	44	CAMBIAMENTO DI CASA, TRASLOCO	20
GRAVIDANZA	40	CAMBIAMENTO DELLE ATTIVITÀ SOCIALI	18
PROBLEMI SESSUALI	39	FARE UN PICCOLO DEBITO	17
CAMBIAMENTI IMPORTANTI NEL LAVORO	39	CAMBIAMENTO DEI RITMI DEL SONNO	16
CAMBIAMENTO SITUAZIONE ECONOMICA	39	CAMBIAMENTI ABITUDINI ALIMENTARI	15
MORTE DI UN AMICO	37	VACANZE	13
CAMBIAMENTO TIPO DI LAVORO	36	NATALE	12
DISCUSSIONI CONIUGALI	35	PICCOLE INFRAZIONI ALLA LEGGE	11
CONTRARRE UN GROSSO DEBITO	31		
IMPOSSIBILITÀ DI RESTITUIRE UN DEBITO	30		

Sara S., 24: ....
....
....

Pietro M., 26: ....
....

Paola L., 20: ....
....

Dino A., 15: ....
....

Domenico A., 32: ....
....

○ E voi? Quali dei cambiamenti sopracitati vi sono accaduti? Quanto stress vi hanno causato? Parlatene se volete.
○ Cosa vi stressa in genere? (a parte studiare l'italiano)
○ Come reagite di solito quando siete sotto stress? Cosa si deve fare quando si è stressati? Scambiatevi idee.

Uso del congiuntivo (II)

Usiamo il congiuntivo anche dopo alcune congiunzioni particolari:

benché **sebbene** **nonostante / malgrado**	Voglio che ci incontriamo, **benché** *mi senta* proprio stanco. Luca mi ha invitato, **sebbene** *sappia* che io sarò fuori città. **Nonostante / malgrado** lui *sia* più grande, gli manca l'esperienza.
purché **a patto che** **a condizione che** **basta che**	Le parlerò, **purché** mi *chieda* scusa del suo comportamento. Accetterà l'offerta, **a patto che** *rimanga* segreta. Viene con noi, **a condizione che** *scelga* lei il locale. Il brasiliano firmerà, **basta che** voi gli *diate* un milione in più.
senza che	Andrò alla finale, **senza che** i miei lo *sappiano*.
nel caso che	**Nel caso che** domani ci *sia* uno sciopero, vi verrò a prendere io.
affinché **perché**	Ti dirò tutto, **affinché** tu *capisca* che l'errore non è stato mio. Non l'aiuto più, **perché** *si abitui* a farcela da sola.
prima che	Dobbiamo segnare **prima che** *finisca* la partita. <u>ma</u>: Passerò da casa mia <u>prima di venire</u> da te.
a meno che **tranne che**	Verrà, **a meno che / tranne che** non glielo *vieti* sua moglie!

13 *Completate le frasi con le congiunzioni date a fianco*

1. Ti dirò cos'è successo, ... tu non lo dica a nessuno.
2. Le presterò il mio motorino, ... non abbia molta esperienza.
3. Presto! Scappiamo, ... tornino i miei genitori!
4. Gli telefono subito, ... faccia in tempo a prepararsi.
5. .... siano divorziati, continuano a vivere insieme.
6. Lo prendono in giro, ... lui se ne accorga.
7. .... tu capisca, ti devo raccontare tutto dall'inizio.
8. .... domani piova, magari rimandiamo la gita.

nonostante
 sebbene
 purché
 senza che
 nel caso che
 affinché
 perché
 prima che

Nel *Libro degli esercizi* vedete n. 12 - 14

La concordanza dei tempi del congiuntivo

Quando il verbo della frase principale è al presente abbiamo queste alternative:

Credo che Laura
- **faccia / farà** un buon lavoro (domani, al futuro)
- **faccia** un buon lavoro (oggi, nel presente)
- **abbia fatto** un buon lavoro (ieri, nel passato)

Nella 7ª unità vedremo altri due tempi del congiuntivo.

Nel *Libro degli esercizi* vedete n. 15 e 16

14 _Completate il testo scegliendo tra le parole date; non è importante capire ogni parola_

Quante ore ti alleni per mantenerti in forma?

Risponde Simona Ventura, conduttrice televisiva. Altezza: 1 metro e 74. Peso: 57 chili

A vederti, sembra che i tuoi muscoli .... (1) sempre: hai movimenti elastici, un passo sveglio. Farai una vita d'inferno per ottenere tutto questo.

Simona: " .... (2) per idea: faccio tutto con grande allegria".

Però fai molto.

Simona: "Il giusto. Che per me sono tre sedute di palestra .... (3) settimana, di 2 ore ciascuna. Detto in confidenza, qualche volta le ore sono 4; dopo le feste, per esempio, o in vista della stagione dei bikini: io sono mangiona. Il programma è preciso: nella prima seduta faccio pesi, nella seconda aerobica e bike, nella terza un riassunto".

Prego?

Simona: "Sì, pesi, aerobica e bike, ... (4) insieme. È così che mi mantengo tonica e con un efficiente sistema cardiorespiratorio. C'è una cosa che non posso programmare: l'orario. Dipende dagli impegni di lavoro. .... (5) capita di presentarmi in palestra alle sette e mezzo di mattina".

Segui questo programma tutto l'anno?

Simona: "Per 11 mesi. Frequento palestre di tutt'Italia, ... (6) il lavoro mi fa spostare. Di norma, poi, faccio un mese di vacanza: lì mi affido al nuoto e alle camminate. Non corro mai: ho le gambe già ben scolpite".

E la dieta?

Simona: "Non mescolo carboidrati e proteine: o pasta o carne. Mangio tantissima frutta. .... (7) sono bolognese: qualche peccato di gola mi scappa. Tanto ci sono la palestra e il lavoro. E io, ... (8), non sono pigra".

adattato da _Donna in forma_

1.	a. lavorano	b. lavorino	c. lavoravano
2.	a. neanche	b. certo	c. non
3.	a. nella	b. in	c. alla
4.	a. tutti e tre	b. tutti i tre	c. anche i tre
5.	a. si	b. ci	c. mi
6.	a. benché	b. a meno che	c. perché
7.	a. anche	b. ma	c. malgrado
8.	a. per fortuna	b. purtroppo	c. per favore

○ Fate un breve riassunto orale del testo. Cosa pensate della ragazza che parla?

○ Chi di voi va o andava nel passato in palestra? Parlate dei motivi per cui avete (o non avete) cominciato e dei risultati che avete ottenuto.

○ Credete che si tratti di una 'industria di bellezza' o di qualcosa di veramente utile? Spiegate.

Uso del congiuntivo (III)

chiunque **qualsiasi** **qualunque** **(d)ovunque** **comunque**	Lui litiga con **chiunque** *tifi* per un'altra squadra. **Chiamami** per **qualsiasi** cosa tu *abbia* bisogno. **Qualunque** cosa gli *venga* in mente, la dice senza pensarci! **Dovunque** tu *vada,* io verrò con te! Non devi perdere il coraggio, **comunque** *stiano* le cose.
il più... **più di quanto...**	È **la** donna **più bella** che *abbia* mai *conosciuto.* Il fumo è **più** nocivo **di quanto** tu *possa* immaginare.
l'unico / il solo che **non c'è nessuno che**	Giorgio è **l'unico / il solo che** *possa* aiutarti in questa situazione. **Non c'è nessuno che** ti *voglia* tanto bene quanto la tua mamma!
augurio-desiderio	**Che** Dio *sia* con te! / Vogliono venire? **Che** *vengano!*
che... sia... (inversione)	Che loro *siano* poveri, lo so bene. <u>ma</u>: So bene che loro *sono* poveri. Che mi *abbia tradito* è sicuro. <u>ma</u>: È sicuro che mi *ha tradito.*
dubbio	Che *siano* già *partiti*? / Non funziona: che *sia* rotto?
domanda indiretta	**Chiede se** tu *abbia* fiducia in lei. / **Mi chiedo** se mi *vogliate* bene.
certe frasi relative secondo il significato	Sara è nervosa: devo trovare una ragazza che *abbia* più pazienza. Silvia cerca un uomo che *sia* ricco e stupido! Perché non ci provi tu?!

15 *A ciascuno dei casi di sopra corrisponde una frase; completatela*

1. Questo è il libro più bello che io ....
2. Stasera andremo a vedere ....
3. Ho bisogno di una segretaria ....
4. Carlo non risponde al telefono: ....
5. Mi hanno chiesto se ....
6. .... ormai è più che chiaro.
7. Maria è l'unica amica ....
8. La partita di stasera è molto importante: ....!

Nel *Libro degli esercizi* vedete n. 17 e 18

16 *Osservate la foto e descrivetela*

1. Spesso i tifosi di una squadra agiscono in modo molto violento; quali sono i motivi di questo comportamento?
2. Quanto è grave il problema del teppismo nel vostro paese e che conseguenze ha?
3. Cosa credete si potrebbe fare in proposito?

17 _Leggete il testo e delle affermazioni che seguono dite quali sono corrette_

Come non parlare di calcio

Io non ho nulla contro il calcio. Non vado negli stadi per la stessa ragione per cui non andrei a dormire di notte nei sotterranei della Stazione Centrale di Milano, ma se mi capita mi guardo una bella partita con interesse e piacere alla televisione, perché riconosco e apprezzo tutti i meriti di questo nobile gioco. Io odio gli appassionati di calcio.

Non amo il tifoso perché ha una strana caratteristica: non capisce perché tu non lo sei, ma insiste nel parlarne con te. Per far capire bene cosa intendo dire faccio un esempio. Io suono il flauto dolce. Supponiamo ora che mi trovi in treno e chieda al signore di fronte a me, per attaccare discorso:

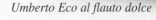

- "Ha sentito l'ultimo compact di Frans Bruggen?"
- "Come, come?"
- "Dico la _Pavane Lachryme_. Secondo me rallenta troppo all'inizio."
- "Scusi, non capisco."
- "Ah, ho capito, Lei non..."
- "Io non."

Umberto Eco al flauto dolce

- "Curioso... Lo sa che per avere un flauto _Coolsma_ fatto a mano bisogna attendere tre anni? Ma Lei ci arriva fino alla quinta variazione di _Derdre D'Over_?"
- "Veramente io vado a Parma..."
- "Ah, ho capito, Lei suona in F non in C. Non userà mica una tecnica tedesca?"
- "Io sinceramente i tedeschi..., la BMW sarà una gran macchina e li rispetto, ma..."
- "Ho capito. Usa una tecnica barocca. Ma..."

Ecco, non so se abbia reso l'idea. Lo stesso più o meno avviene con il tifoso. La situazione è particolarmente difficile con il tassista.

- "Ha visto Del Piero?"
- "No, deve essere venuto mentre non c'ero."
- "Ma stasera guarda la partita?"
- "No, devo occuparmi del libro Zeta della Metafisica, sa, lo _Stagirita_."
- "Bene. Io credo che non sia affatto facile vincere. Per me Ronaldo può essere il Maradona del 2000, Lei che ne dice?"

E via dicendo, come parlare al muro. Il problema è che lui non riesce a concepire che a qualcuno non importi niente di queste cose.

ridotto e adattato da _Il secondo diario minimo_ di Umberto Eco

1. Umberto Eco odia il calcio in genere. ❑
2. Nel primo episodio parla con un tifoso del Parma. ❑
3. Eco ama molto la musica classica. ❑
4. I due uomini non hanno gli stessi interessi. ❑
5. Tutti e due suonano il flauto dolce. ❑
6. Nel secondo episodio Eco e il tassista si capiscono senza problemi. ❑
7. Lo scrittore probabilmente non guarderà la partita. ❑
8. Eco odia chi non può capire che il calcio non piaccia a tutti. ❑

- Voi vi siete mai trovati in una situazione analoga? Raccontatela.
- Siete d'accordo con l'autore del brano? Spiegate.
- Chi di voi odia il calcio e perché?

QUANDO *NON* USARE IL CONGIUNTIVO!

Uno degli errori che fa spesso chi impara l'italiano è usare il congiuntivo anche quando non ce n'è bisogno. Non abbiate fretta; piano piano chiarirete tutti i vostri dubbi.
Usiamo l'**INFINITO** o l'**INDICATIVO** e **non il congiuntivo** nei seguenti casi:

SOGGETTO UGUALE	Penso che tu *sia* bravo.	ma	**Penso di *essere* bravo.** (io)
	Ilaria vuole che io *vada* via.	ma	**Ilaria vuole *andare* via.** (lei)
	Sei contento che io *sia* venuta?	ma	**Sei contenta di *essere* venuta?** (tu)
espressioni impersonali	Bisogna <u>che</u> tu *faccia* presto.	ma	**Bisogna *fare* presto.**
	È meglio <u>che</u> io *parta* subito.	ma	**È meglio *partire* subito.**
Secondo me Forse Probabilmente	**Secondo me** *hai* torto.		
	Forse lui non *vuole* stare con noi.		
	Probabilmente non *è* a casa in questo momento.		
anche se poiché dopo che	L'Inter ha vinto **anche se** non *ha giocato* bene.		
	Non mi sono divertito **poiché** *ero* stanco morto.		
	L'ho chiamata **dopo che** *avevo parlato* con te.		

Nel *Libro degli esercizi* vedete n. 19 - 21

18 Ascolto *Ascoltate il brano e rispondete alle domande (Libro degli esèrcizi, p. 60)*

19 Situazioni

1. Ultimamente hai preso alcuni chili in più. Un amico/un'amica cerca di convincerti ad andare in una palestra, o almeno a fare un po' di dieta, anche per motivi di salute. Ma tu, poiché sei un po' pigro/a, inventi sempre delle scuse.

2. È mercoledì sera e in tv c'è una partita di pallacanestro (pallavolo ecc.), che è il tuo sport preferito. Sfortunatamente, proprio alla stessa ora, c'è anche una partita di calcio, che il tuo compagno di casa (o marito/moglie ecc.) vorrebbe vedere. Ognuno spiega perché il suo sport e la partita che vuole vedere sono più interessanti.

20 Scriviamo

Che stress mantenersi in forma...

Negli ultimi 50 anni lo sport è diventato un importantissimo fenomeno sociale: sempre più spettatori e telespettatori, sempre più denaro investito. Però non mancano i problemi. Quali sono, secondo te? Dall'altra parte, cosa ci offre lo sport? (120-160 p.)

Fate il test finale dell'unità

Lo sport in Italia

Come dimostrano anche queste statistiche, gli italiani sono un popolo molto sportivo. Amano sia praticare qualche sport che seguirlo dal vivo o in tv. Il grande successo delle trasmissioni e dei quotidiani sportivi ne è la prova; lo stesso vale per il *totocalcio*.

Il **calcio** è senza dubbio lo sport più popolare e quello che ha portato i maggiori successi: la nazionale di calcio, la famosa "Squadra Azzurra", ha vinto tre volte i mondiali (nel 1934, nel '38 e nell' '82). D'altra parte, il *Campionato* italiano è molto spettacolare, poiché ospita le stelle più grandi del mondo: le squadre italiane spendono spesso enormi somme per acquistare i giocatori più bravi e famosi, così sono riuscite a conquistare tantissimi titoli a livello euro-

PRIMI IN EUROPA
(ALMENO NELLO SPORT)

"Praticate regolarmente uno sport?". Ecco come hanno risposto i cittadini europei all'indagine condotta dalla *Princeton Survey Research Assoc.* per il settimanale francese *l'européen*

▫ **ITALIA**		**71%**
FRANCIA		**65%**
G. BRETAGNA		**53%**
GERMANIA		**51%**
SPAGNA		**40%**

peo e mondiale. L'antagonismo è molto forte, specialmente tra squadre della stessa città: Milan e Inter, Juventus e Torino, Roma e Lazio. Come dice una canzone umoristica di Enzo Jannacci: "...ci sono quelli che, anziché nascere interisti, fanno abortire la madre..."

La **pallacanestro** e la **pallavolo** sono sport molto seguiti e praticati, soprattutto dai più giovani. Le squadre italiane di pallacanestro hanno conquistato tantissimi titoli europei, specialmente negli anni '70 e '80. Le squadre di pallavolo hanno fatto ancora di più: grazie anche al sostegno di grandi sponsor, sono da anni considerate le migliori di tutto il mondo; altrettanti successi ha ottenuto la nazionale.

Il **ciclismo** ha in Italia una lunga tradizione con molti praticanti dilettanti, ma anche squadre di professionisti. Famoso è il *Giro d'Italia* le cui durissime tappe coprono ogni giugno l'intero paese e attirano l'interesse di moltissimi spettatori e telespettatori; attirano, però, anche i migliori ciclisti del mondo, a caccia della mitica "maglia rosa".

L'**automobilismo** è molto seguito in Italia, soprattutto per merito della *Ferrari*. Non è tanto importante che vincano i bravi piloti italiani di *Formula 1*, ma che la squadra di Maranello, considerata ormai nazionale, conquisti vittorie e campionati, anche con stranieri al volante. Se il "cavallino" vince al Grand Prix di Imola o di Monza, allora l'entusiasmo è ancora più grande.

Popolarissime sono anche le gare di moto, grazie ai successi dei piloti italiani, soprattutto Max Biagi e Valentino Rossi, più volte campioni del mondo nelle loro categorie.

Sport, infine, come l'**atletica leggera,** il **nuoto** e lo **sci** hanno dato all'Italia importanti vittorie sia alle Olimpiadi che ai Campionati del mondo; come, per esempio, negli anni '90 quelle di Alberto Tomba, uno dei più grandi sciatori di tutti i tempi.

A CIASCUNO IL SUO SPORT

Tipo di sport	Praticanti	
CALCIO	3.100.000	
GINNASTICA AEROBICA		
GINNASTCA ANAEROBICA	2.400.000	
NUOTO	1.600.000	
TENNIS	800.000	
ATLETICA LEGGERA	800.000	
CICLISMO	800.000	
PALLA A VOLO	750.000	
SCI DA DISCESA		
SCI DI FONDO	700.000	
PALLACANESTRO	450.000	
LOTTA, JUDO, KARATE	400.000	
PESCA SPORTIVA		
ATTIVITÀ SUBACQUEE	350.000	
BOCCE	180.000	
EQUITAZIONE	140.000	
VELA	100.000	
PATTINAGGIO A ROTELLE SKATEBOARD	80.000	
GOLF	50.000	
SCHERMA	20.000	

1. Le "Squadre Azzurre" di maggior successo sono quelle

❑ a. di ciclismo e di nuoto
❑ b. di calcio e di pallacanestro
❑ c. di pallavolo e di pallacanestro
❑ d. di automobilismo e di atletica leggera

2. Le squadre italiane di calcio

❑ a. sono considerate le migliori del mondo
❑ b. hanno vinto pochi titoli europei
❑ c. sono molto ricche
❑ d. si basano solo su giocatori italiani

3. La *Ferrari*

❑ a. ha vinto più volte il Giro d'Italia
❑ b. ha sempre usato piloti stranieri
❑ c. è la "Squadra Azzurra" dell'automobilismo
❑ d. ha sede a Monza

*Il **calcetto** è uno sport molto diffuso in Italia. Si tratta di calcio giocato tra squadre di cinque giocatori, ovviamente in campi più piccoli. In alto, affollatissimo, lo Stadio San Siro di Milano, uno dei più belli e moderni del mondo.*

Il Giro d'Italia ieri e oggi: i tempi cambiano, ma la gara resta durissima e, nello stesso tempo, affascinante. Organizzato per la prima volta nel 1909 da "La Gazzetta dello Sport" (il cui colore rosa spiega il colore della maglia che indossa il vincitore), copre circa 4.000 km. Alcuni dei miti dello sport italiano sono stati tra i più grandi ciclisti del mondo: Fausto Coppi, negli anni '40 e '50 (5 volte vincitore del Giro), Francesco Moser, negli anni '80, Marco Pantani negli anni '90 e tanti altri.

Per sapere di più sullo sport italiano date un'occhiata su Internet:

calcio: www.lega-calcio.it
pallacanestro: www.legabasket.it
pallavolo: www.legavolley.it
Ferrari: www.ferrari.it
ciclismo: www.federciclismo.it
notizie sportive: www.sport.it e www.gazzetta.it

Andare all'opera

*Ascolterete il dialogo tra il direttore di una ditta e una sua impiegata
sulle preferenze musicali di ognuno.*

1 *Ascoltate di nuovo il brano e rispondete alle domande*

	vero	falso
1. L'impiegata vuole mancare per qualche ora.		
2. A quanto pare, lei è appassionata di opera.		
3. Il direttore non ha mai ascoltato questo tipo di musica.		
4. Alla fine convince anche la sua impiegata a non andarci.		

*Maria Callas nei panni di
Violetta ne* La Traviata, *alla
Scala di Milano, nel 1955.*

impiegata: Signor direttore, Le posso parlare?

direttore: Certo, signorina, entri, si accomodi! Mi dica, che c'è?

impiegata: Senta, è possibile che domani me ne vada due ore prima?

direttore: Be', se proprio si tratta di una cosa importante...

impiegata: Per me molto: voglio andare alla Scala a comprare il biglietto per la *Traviata*.

direttore: Ma anche Lei?! Ma mi spieghi una cosa: a Lei questi spettacoli piacciono così tanto?

impiegata: Guardi che io sono quasi una maniaca, quest'anno ho intenzione di non perdere nemmeno uno spettacolo.

direttore: Io, sinceramente, li trovo noiosi... e, poi, questa *Traviata*, che tristezza!

impiegata: Ma scusi, direttore, Lei ha mai provato ad ascoltare un'opera intera?

direttore: Come no? Ogni volta che io guardo lo sport in tv mia moglie ascolta l'opera, appunto per darmi ai nervi; o forse per farmi rilassare, ma non penso...

impiegata: Ma non così: provi ad ascoltare con attenzione, non mentre sta guardando la partita. Si lasci andare alla voce della Callas o di Pavarotti: cerchi di sentire le emozioni che provoca il *Nabucco*, *La Bohème*...

direttore: Su questo forse ha ragione. Io, però, detto tra di noi, ho anche un altro problema: non riesco a capire sempre tutti i versi.

impiegata: Ma guardi che non è mica l'unico, all'inizio per tutti è così. Bisogna che uno legga anche il libretto, almeno la prima volta. Poi, diventa tutto più facile.

direttore: Dice? Non lo so... Devo ammettere, comunque, che ci sono pezzi che mi piacciono: "La donna è mobile", "Va' pensiero sull'ali dorate"... Senta, signorina... mi ha convinto: dal momento che farà la fila, per favore, compri un biglietto anche per m... mia moglie! Così potrò godermi una serata in tranquillità assoluta...

2 _Leggete il brano ad alta voce in modo quanto più "italiano" possibile, imitando magari la pronuncia e l'intonazione dei parlanti della cassetta_

3 _In base a quanto avete letto rispondete prima oralmente e poi per iscritto (15-20 p.) alle domande_

1. Che favore chiede al direttore la ragazza? ....

....

2. Cosa pensa il direttore degli spettacoli lirici e della _Traviata_ in particolare? ....

....

3. Per quali motivi non ha apprezzato ancora l'opera? (20-25 p.) ....

....

4. Come va a finire la storia? ....

....

4 _Immaginate ora un dialogo in cui i ruoli sono diversi; completatelo con le parole date_

impiegata:	Direttore, posso entrare? Le voglio parlare un attimo.	**mi spieghi**
direttore:	Certo, signorina .... pure. Ma se può, faccia presto, sono già in ritardo per un appuntamento.	
impiegata:	Non ...., voglio solo chiederLe un favore: è possibile che domani io vada via un po' prima?	**si preoccupi**
direttore:	Penso di sì; ha qualche problema?	
impiegata:	Veramente voglio andare a comprare i biglietti per un concerto di Ligabue.	**provi**
direttore:	No, non .... che anche Lei ascolta la musica rock? Ma .... una cosa: come cavolo vi piacciono queste grida?	**mi dica**
impiegata:	........................, ma secondo Lei che tipo di musica dovrebbe ascoltare una ragazza della mia età? L'opera?	**compri**
direttore:	Esatto: .... una volta ad andare ad uno spettacolo di musica lirica e capirà la differenza! .... a vedere la _Tosca_ o la _Cavalleria Rusticana_, ... un cd di Pavarotti o di Bocelli: scoprirà un bellissimo mondo nuovo.	**Scusi** **Vada**
impiegata:	Direttore, se mi permette, La trovo molto cambiato rispetto al dialogo della pagina precedente!!!	**entri**

5 _In base a quanto avete letto scrivete un breve riassunto (60-70 p.) del dialogo introduttivo_

Imperativo diretto		Imperativo indiretto (di cortesia)	
Usiamo le forme del *presente indicativo*		Usiamo le forme del *congiuntivo presente*	
-ARE			
tu	Mario, *parla* più piano!	**Lei**	**Parli** in italiano, capisco!
noi	*Parliamo* un altro po'!		
voi	Ragazzi, *parlate* in italiano!	**Loro**	**Parlino** a bassa voce!
-ERE			
tu	*Prendi* un'aspirina e ti passerà!	**Lei**	**Prenda** qualcosa, offro io!
noi	*Prendiamo* un caffè, offre lui!		
voi	*Prendete* il metrò, è più veloce!	**Loro**	**Prendano** appunti, è importante!
-IRE			
tu	*Finisci* e vieni, ti voglio parlare!	**Lei**	Signorina, **finisca** quella lettera!
noi	*Finiamo* di studiare e usciamo!		
voi	*Finite* presto, sono già le sette!	**Loro**	**Finiscano** presto, per favore!

6 *Osservando la scheda di sopra completate oralmente le frasi*

1. Professore, per favore (*Lei-aprire*) la finestra; fa molto caldo.
2. Per favore, (*Lei-andare*) via, non voglio comprare niente!
3. Signori, (*Loro-guardare*) a pagina 4 del contratto!
4. La prego, (*Lei-fare*) presto, non ho molto tempo a disposizione!
5. (*Lei-rispondere*) al telefono, se può; ho le mani sporche!
6. Se compra il *Messaggero* oggi, (*Lei-leggere*) il mio articolo!
7. Per favore, (*Loro-ordinare*) anche per me: non m'intendo di cucina cinese!
8. Mi raccomando, (*Lei-vedere*) questo film: ne vale la pena!

	essere	avere
tu	sii	abbi
Lei	**sia**	**abbia**
noi	siamo	abbiamo
voi	siate	abbiate
Loro	**siano**	**abbiano**

Nel *Libro degli esercizi* vedete n. 1 - 4

7 **Alcuni usi dell'imperativo**

Dare consigli - istruzioni

○ Scusi, c'è una fila qui?

● Sì, signore; prema il bottone e prenda il biglietto con il Suo numero!

○ Scusi, mi sa dire a quale piano si trova lo studio dell'avvocato Carlatti?

● No, mi spiace; provi a chiedere al custode!

STUDIO LEGALE

Avv. BRUNO CARLATTI

Dare ordini

○ Signor Marietti, prenda questi documenti e li porti al direttore vendite!
● Sì, signor direttore!

○ Per favore, escano dalla macchina!
● Sì, agente, un attimo.

Dare un permesso

○ Posso parlarLe?
● Prego, mi dica!

○ Le dispiace se accendo l'aria condizionata?
● No, faccia pure!

Ora cercate di scrivere due frasi vostre per ciascuno dei casi che abbiamo visto (in tutto 6)

8 Due tenori fenomeno

Dividetevi in due gruppi; ogni gruppo dovrà leggere uno dei testi che seguono e poi farne un breve riassunto all'altro gruppo. In seguito, scambiatevi i testi e rispondete alle domande

Luciano Pavarotti ha un grandissimo successo nel mondo della musica classica, riuscendo ad ampliarne i confini e attrarre numerosi nuovi fans. Una voce emozionante e una personalità unica hanno reso il nome di Pavarotti famoso in tutto il mondo. Nasce a Modena il 12 Ottobre 1935 e scopre la passione per l'opera in occasione di una competizione internazionale che porta al coro il primo premio. Il suo debutto avviene il 29 Aprile del 1961 al Teatro di Reggio Emilia, con *La Bohème*. A questo concerto seguono interpretazioni di grande successo in tutta Italia e in Europa.

Ma è il 17 Febbraio del 1972 che scoppia il fenomeno Pavarotti al Metropolitan di New York. Il grande tenore canta nei teatri più prestigiosi del mondo. I suoi dischi, dei veri e propri best-sellers, comprendono numerose arie, recital e l'antologia di canzoni napoletane e italiane in genere. Le sue frequenti apparizioni televisive in performance, documentari, talk-show aumentano la sua notorietà.

I suoi spettacolari concerti pot-pourri riempiono ogni volta le arene e i parchi più grandi del mondo: quasi 200.000 persone in Hyde Park a Londra; più di 500.000 ammiratori in Central Park a New York (e milioni di telespettatori in tutto il mondo); 300.000 amanti della musica a Parigi.

Il Maestro Pavarotti si dedica anche allo sviluppo delle carriere di giovani cantanti con il "Luciano Pavarotti International Vocal Competition". Insegna nei Conservatori di tutto il mondo a classi così affollate da prevedere solo posti in piedi.

Impegnato socialmente, da molti anni realizza l'annuale concerto di beneficenza *Pavarotti and friends* che vede la partecipazione di numerose pop-star: Bono, Elton John, Zucchero, Celine Dion, Sting, Eros Ramazzotti, Andrea Bocelli ecc.

ridotto da *www.lucianopavarotti.it*

Enrico Caruso (1873-1921), napoletano, è considerato un mito della musica lirica, grazie alla sua straordinaria voce e alla sua appassionata teatralità. Ecco alcune curiosità della sua vita:

◆ Fu il diciottesimo di ben ventuno figli, ma solo il primo a superare l'infanzia. Iniziò a cantare nel coro ecclesiastico locale e subito divenne noto come "Carusiello".

◆ Quando lasciò il suo lavoro di meccanico per dedicarsi al canto, il padre, arrabbiato, lo cacciò di casa. Un giorno disse della sua gioventù: "Ero spesso affamato, ma mai infelice".

◆ Aveva solo 25 anni quando divenne famoso a livello mondiale con la prima assoluta di *Fedora* al Teatro Lirico di Milano nel 1898. Debuttò al Metropolitan di New York il 23 Novembre 1903 in *Rigoletto*. Lì in 18 stagioni cantò 607 volte in 37 opere diverse!

◆ Un giorno rifiutò 4.000 dollari per una recita, dicendo: "Non credo ci sia un cantante al mondo che può in una serata dare più di 2.500 dollari di canto al pubblico. Non voglio un centesimo di più, altrimenti il pubblico lo verrà a sapere e mi chiederà quel centesimo di canto in più che io non ho".

◆ Al di là di una brillante carriera e dei dischi di enorme successo mondiale (in cui cantò anche bellissime canzoni napoletane), c'era però il dramma intimo del tenore: le minacce della mafia americana, il tradimento della sua compagna, i problemi di salute.

◆ Nonostante la malattia polmonare, che gli provocava addirittura emorragie in scena e che lo portò alla morte a soli 48 anni, non volle mai cancellare una serata. Mentre il pubblico delirava e gli impresari gli proponevano contratti in bianco, lui cercava di nascondere a tutti i costi quanto soffriva.

adattato da *www.opera.it*

1. Dai due testi risulta che questi due grandi tenori hanno molte cose in comune; quali sono? Scambiatevi idee.
2. Cosa potete dire del carattere di ognuno?
3. A cosa credete sia dovuto il grande successo di Luciano Pavarotti?
4. Che problemi affrontò Caruso nella sua vita?

9 *Lucio Dalla ha scritto una bellissima canzone, che ha cantato Pavarotti stesso, in cui racconta praticamente le ultime ore di Caruso. Completatela scegliendo tra le parole date*

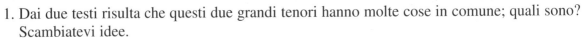

Caruso

Qui dove il mare luccica* e tira forte il vento,
su una vecchia terrazza ....(1) golfo di Surriento*,
un uomo abbraccia una ragazza dopo che ....(2),
poi si schiarisce la voce e ricomincia il canto:
"Te voglio bene assaie*, ma tanto bene sai,
è una catena ormai che scioglie il sangue dint'e vene* sai".
Vide le luci ....(3) mare e pensò alle notti là in America,
ma erano solo le lampare* e la bianca scia* di un'elica.
Sentì il dolore nella musica si alzò dal pianoforte,
ma quando vide la luna uscire da una nuvola
....................(4) sembrò più dolce anche la morte.

(1) **a.** *davanti al,*
     b. *sopra il,* **c.** *del*

(2) **a.** *ha pianto,*
     b. *aveva pianto,*
     c. *piangeva*

(3) **a.** *tra il,* **b.** *al mezzo del,* **c.** *in mezzo al*

(4) **a.** *gliela,* **b.** *gli,* **c.** *si*

Guardò negli occhi la ragazza, ...(5) occhi verdi come il mare,
poi ....(6) uscì una lacrima e lui credette di affogare*.
Potenza della lirica, dove ogni dramma è un falso
con un po' di trucco e con la mimica, puoi diventare un altro.
Ma due occhi che ti guardano così vicini e veri,
ti fan scordare le parole, confondono i pensieri.
Così diventa tutto piccolo, ...(7) le notti là in America,
ti volti e vedi la tua vita come la scia di un'elica...
ma sì, è la vita che finisce, ma lui non ....(8) pensò poi tanto,
anzi si sentiva già felice e ricominciò il suo canto:
"Te voglio bene assaie..."

(5) **a.** *quelli*, **b.** *quei*, **c.** *quegli*

(6) **a.** *anche se*, **b.** *all'improvviso*, **c.** *quando*

(7) **a.** *ma*, **b.** *sia*, **c.** *anche*

(8) **a.** *ci*, **b.** *lo*, **c.** *ne*

luccicare: splendere / Surriento: Sorrento, città sul mare vicino a Napoli / assaie: assai, molto / dint'e: dentro le / lampara: barca con una lampada / scia: la traccia che lascia una barca sull'acqua / affogare: morire annegato

L'imperativo con i pronomi

Imperativo diretto	Imperativo indiretto
Dammi dieci euro!	**Mi dia** dieci euro, per favore!
Prendi la busta e *portala* al direttore!	Prenda la busta e **la porti** al vicedirettore!
Gliel'hai detto? *Diglielo*!	Gliel'ha detto? **Glielo dica**!
Fa freddo: *vestitevi bene*!	Fa freddo signori: **si vestano** bene!
Ti prego, *pensaci* bene!	La prego, **ci pensi** bene!
Vattene! Mi dai fastidio!	**Se ne vada**, signore! Mi dà fastidio!

10 *Completate le frasi con l'imperativo indiretto*

1. Per favore, dottore, (*farmi*) vedere i risultati delle mie analisi!
2. Se vede la signora Bianchi, (*salutarla*) da parte mia!
3. Per cortesia, (*sedersi*) vicino a me, Le voglio parlare!
4. Ha qualche documento con Lei? (*darmelo*) per favore!

> Nel *Libro degli esercizi* vedete n. 5 e 6

11 *Osservate la foto e descrivetela*

1. È importante l'amore nella vita, secondo voi?
2. Che differenza c'è tra l'innamorarsi e l'amare qualcuno?
3. C'è chi dice che amore e gelosia vanno di pari passo; siete d'accordo? Chi di voi è particolarmente geloso e in quali occasioni?
4. Una giovane coppia deve affrontare spesso problemi sia interni che esterni; quali sono? Parlate delle vostre esperienze.

L'imperativo negativo

Imperativo diretto		Imperativo indiretto	
Attenti alla seconda persona singolare!		*Aggiungiamo solo un 'non'.*	
-ARE			
tu	*Non andare* via ancora!	Lei	**Non vada** via, per favore!
noi	*Non andiamo* con loro!		
voi	*Non andate* alla festa!	Loro	**Non vadano** via, signori!
-ERE			
tu	*Non credere* a queste cose!	Lei	Ma **non creda** a queste bugie!
noi	*Non crediamo* a loro!		
voi	Ragazzi, *non credete* a lui!	Loro	Signori, **non credano** alle sue parole!
-IRE			
tu	*Non partire* senza salutarmi!	Lei	**Non parta** senza che parliamo!
noi	Domani pioverà: *non partiamo!*		
voi	*Non partite* stasera!	Loro	**Non partano** stasera, signori!

12 *Formate frasi orali con l'imperativo negativo*

1. (*non dire*) niente, signore! Ha completamente ragione!
2. (*non avere*) fretta, dottor Tagliapiede! Ho un po' di paura!
3. (*non bere*) più, signori! Dobbiamo chiudere!
4. (*non spendere*) molto oggi, signora! Il signore si arrabbierà di nuovo!
5. (*non uscire*) stasera, signori Marini! Secondo le previsioni pioverà a dirotto!
6. (*non dare*) retta a ciò che dice il mio amico, signorina! È ubriaco!

> Nel *Libro degli esercizi* vedete n. 7 e 8

13 **Dare indicazioni**

- ◆ Scusi, signore, mi sa dire come posso arrivare al Teatro alla Scala?
- ◆ Certo, ma è straniero Lei?
- ◆ Sì, e devo assolutamente visitare il Teatro perché domani parto.
- ◆ Ho capito. Complimenti! Parla molto bene. Dunque: a piedi ci vorrebbe un bel po'; quindi, prenda il filobus 22 e scenda alla ... terza, no ... alla quarta fermata!
- ◆ Filobus 22, quarta fermata. Poi?
- ◆ Appena scende vada diritto e al secondo incrocio giri a destra, in via Manzoni. Vada diritto e si troverà a Piazza Duomo.
- ◆ Diritto e al terzo a destra. Lì trovo il Teatro?
- ◆ No, cammini poi verso il Duomo: a sinistra c'è la Galleria Vittorio Emanuele; la attraversi e si troverà in una piccola piazza.
- ◆ Bene, e il Teatro?
- ◆ Attraversi la piazzetta e la strada e si troverà davanti al Teatro alla Scala.
- ◆ Grazie mille, signore!
- ◆ Si figuri! Però sappia che oggi il Teatro è chiuso!!!

Teatro alla Scala

14

Role-play

▷ **A** *chiede ad un passante (B) come andare*:

- ◆ dal punto 1 al cinema *Cinecittà*
- ◆ dal punto 2 alla farmacia
- ◆ dal punto 3 alla *Rinascente*
- ◆ dal punto 4 alla libreria *Feltrinelli*
- ◆ dal punto 5 al Comune
- ◆ dal punto 6 al ristorante *Bella Toscana*
- ◆ dal punto 3 alla *Standa*
- ◆ dal punto 1 alla *Banca Nazionale*
- ◆ dal punto 4 in v. *Giuseppe Verdi*
- ◆ dal punto 2 in v. *Maria Callas*

▷ **B**, *gentilmente, dà le indicazioni necessarie*

L'imperativo negativo con i pronomi

Imperativo diretto	**Imperativo indiretto**
Pronomi prima o dopo il verbo	*Pronomi sempre prima*
Non è fresco: *non berlo!* *non lo bere!*	Non è fresco: **non lo beva**!
È presto: *non alzarti* ancora! *non ti alzare* ancora!	È presto signore: **non si alzi** ancora!
Maria è assente: *non parlatene* così! *non ne parlate* così!	Maria è assente: **non ne parlino** così!
È un segreto: *non diciamoglielo!* *non glielo diciamo!*	È un segreto: **non glielo dicano**!

---

15 *Formate frasi orali con l'imperativo indiretto*

1. Alla festa di stasera ci sarà anche il Suo ex marito, signora Martini: (*non andarci*)!
2. Signorina, questa gonna non Le sta affatto bene: (*non comprarla*)!
3. (*non preoccuparsi*), signor Frizzi, la Sua macchina sarà pronta fra un mese!
4. Avvocato Tassotti, (*non dirmi*) che questa cifra qui è la somma che Le devo!
5. Signori giudici, (*non prendermi*) in giro! Sono libero, dite sul serio?
6. Vuole andare via più presto? (*non pensarci*) nemmeno; stasera lavoriamo fino a tardi!

Nel *Libro degli esercizi* vedete n. 9 e 10

16 Ascolto

Ascolterete due famosi brani d'opera; completateli con una o più parole mancanti

*Luciano Pavarotti e Mirella Freni nei
panni di Rodolfo e di Mimì*

Che gelida manina da *La Bohème* di Giacomo
Puccini. Canta Enrico Caruso nel lontano 1906!

*Che gelida manina, se la lasci riscaldar.
Cercar che giova*?........................ non si trova*.
Ma .... è una notte di luna,
e qui la luna l'abbiamo vicina.
........................., signorina,
Le dirò con due parole
chi son, e che faccio, come vivo? Vuole?
Chi son? Sono un poeta.
Che cosa faccio? Scrivo.
E come vivo? Vivo. .... mia lieta*
scialo* da gran signore rime ed inni ....
Per sogni e per chimere* e per castelli ...., l'anima*
ho milionaria. Talor* dal mio forziere* ruban tutti i gioielli due ladri: gli occhi belli...*

> che giova: che senso ha / non si trova: la chiave che Mimì ha perso / lieta: allegra, felice /
> scialo: spreco, spendo / chimera: illusione / talor: talora, raramente / forziere: cassa

La donna è mobile dal *Rigoletto* di Giuseppe Verdi, con la voce di Luciano Pavarotti.

*La donna è mobile
qual piuma ....,
muta d'accento
e ....
Sempre un amabile
leggiadro* viso,
.... o in riso
è menzognero*.*

*È sempre misero
chi a lei ....,
chi le confida
mal cauto* il core!
.... non sentesi*
felice appieno*
chi ....,
non liba* amore!*

> leggiadro: carino / menzognero: bugiardo / cauto: prudente, attento /
> non sentesi: non si sente / appieno: del tutto / libare: brindare, bere

1. Cercate di spiegare in italiano moderno, verso per verso, i due brani.
2. Cosa potete dire del carattere di Rodolfo, il protagonista de *La Bohème*,
   e della sua situazione economica? Spiegate.
3. Che idee esprime il Duca, protagonista del *Rigoletto* nella prima metà
   del brano? Siete d'accordo?
4. A quale conclusione arriva alla fine? Che ne pensate? Scambiatevi idee.

Rigoletto

Indefiniti come aggettivi e pronomi
Accompagnano o sostituiscono un nome:

altro/a - altri/e
Ti piace questo libro o ne vuoi un altro?

molto/a - molti/e
Io non voglio fare molti soldi; solo qualche miliardo!

tanto/a - tanti/e
Dopo tante settimane di studio non hai superato nemmeno un esame?

poco/a - pochi/e
Anche se ha trent'anni ha poche esperienze lavorative.

quanto/a - quanti/e
Sono d'accordo con quanto dici.

tutto/a - tutti/e
Tutto quello che dici è giusto; ma io non sono d'accordo!!!

parecchio/a - parecchi/e
Amore, stasera ho parecchie cose da fare, quindi, non aspettarmi.

troppo/a - troppi/e
-Perché hai la tosse, hai fumato molto ieri sera? -Troppo!

ciascuno/a
Ciascun problema deve essere affrontato con calma.

nessuno/a
Nessuno mi ama. ma *Non mi ama nessuno.*

alcuno/a (=nessuno/a) **- alcuni/e**
Non ho alcuna (nessuna) voglia di uscire. ma *Alcune volte preferisco stare da solo.*

tale/i
Ti ha telefonato un tale. / Io non ho tali problemi.

17 *Completate le frasi scegliendo tra i pronomi e gli aggettivi indefiniti di sopra*

1. Purtroppo non posso rimanere; magari un'.......................... volta.
2. Sono una persona fortunata poiché ho .... amici veri.
3. .... mi ha detto che saresti venuto e non ti aspettavo.
4. Ormai è .... tardi; non c'è niente da fare.
5. La sera, mentre .... escono, io continuo a lavorare.
6. .... di loro sono veramente bravi.
7. Era da .... tempo che non ci vedevamo.
8. Professore, con .... il rispetto, questo esercizio non mi piace!

Nel *Libro degli esercizi* vedete n. 11 e 12

Indefiniti come pronomi
Sempre al singolare, possono sostituire un nome:

uno/a
Demetrio? L'ho visto poco fa con una bella bionda.

ognuno/a
Ognuno deve saper comportarsi.

qualcuno/a
Qualcuno di voi è mai stato in Italia?

chiunque
Quello che è successo a te potrebbe succedere a chiunque.

qualcosa
Vuoi qualcosa da bere?

niente / nulla
Nella vita niente è gratis! <u>ma</u> *Io <u>non</u> ho visto niente.*
Nulla è perduto. <u>ma</u> *<u>Non</u> è perduto nulla.*

Nel *Libro degli esercizi* vedete n. 13 e 14

18 *Completate il brano con le parole mancanti; in seguito rispondete alle domande*

È vero: l'opera non piace a tutti...

Ai concerti

Non sempre le poltrone .... sale .... concerti sono numerate: una buona ragione in più per arrivare puntuali e addirittura .... anticipo. Una pessima ragione, invece, ... riempire le poltrone circostanti di guanti, sciarpe, borse, programmi, con cui tenere il posto ad amici .... ritardo. Ancora .... rigoroso il bisogno del silenzio e il divieto di ... scartare caramelle. E, come si legge in un galateo .... scorso secolo, "Le signorine non applaudono mai, a meno che .... un'opera di Verdi".

adattato da *Si fa, non si fa* di B. D. Rocca

1. Descrivete e commentate la foto.
2. Avete mai avuto qualche problema in una sala da concerto, cinematografica o teatrale? Parlatene. Cosa vi dà fastidio in tali situazioni?
3. Se qualcuno di voi è stato ad un concerto, ne parli: luogo, artisti, impressioni ecc.

Indefiniti come aggettivi

Possono solo accompagnare un nome:
ogni
C'è una soluzione per ogni problema.
qualche
Se hai qualche problema, non esitare a parlarmene.
qualsiasi / qualunque
Mi puoi chiamare a qualsiasi ora.
Ti starò vicina qualunque cosa tu voglia fare.
certo/a - certi/e
Certe (alcune) persone mi danno proprio ai nervi.

Osservate:

diverso/a - diversi/e
È un tipo interessante con diversi hobby. (molti hobby)
Io e Marcella abbiamo hobby diversi. (hobby non uguali)
vario/a - vari/ie
Quest'estate ho intenzione di leggere vari libri. (molti)
L'estate scorsa ho letto libri vari. (non uguali)

Nel *Libro degli esercizi* vedete n. 15 e 16

19 Ascolto *(Libro degli esercizi, p. 70)*

20 Situazione

Un/a tuo/a amico/a (A) ti propone di andare all'opera per provare qualcosa di nuovo e per avvicinarsi a quello che è considerato 'cultura'. Intanto, secondo lui/lei, bisogna sempre essere aperti ad esperienze nuove. Tu (B) non ne vuoi sapere: l'opera non ti è mai piaciuta, anche se non ne hai mai ascoltata tanta. Alla fine...

21 Parliamo

1. Qual è il vostro genere musicale preferito? Scambiatevi preferenze su pezzi e cantanti, gruppi ecc.
2. Cosa pensate dei due brani che abbiamo ascoltato e della musica lirica in generale? Cosa altro sapete oltre a quello che avete imparato in questa unità?
3. Quanto è apprezzato questo tipo di musica nel vostro paese, da chi e perché secondo voi?

22 Scriviamo

Scrivete una lettera ad un amico italiano in cui raccontate le vostre esperienze durante un concerto (di musica classica o moderna) in cui è successo di tutto... (80-120 p.)

Fate il test finale dell'unità

L'opera italiana

-"Figaro, Figaro!"
-"Son qua!"

L'Italia ha una lunghissima storia musicale che va da Vivaldi e Paganini a Nino Rota ed Ennio Morricone e dalla musica napoletana ai cantautori moderni. Ed è in Italia che è nata e cresciuta la musica lirica: l'*Orfeo* di Claudio Monteverdi fu nel 1607 la prima opera completa. Non a caso, dunque, le opere più belle e note sono di autori italiani, mentre "italiane" sono considerate anche quelle che il grande Mozart scrisse su libretti in lingua italiana (le *Nozze di Figaro*, *Così fan tutte* e *Don Giovanni*).
L'opera è molto popolare oggi in Italia e non solo; vediamo in breve i suoi esponenti più importanti:

Gioacchino Rossini (1792-1868), fu il primo grande compositore della musica lirica italiana ma, nello stesso tempo, un caso strano. Giovanissimo ebbe gran successo e a soli 37 anni si ritirò, famoso e apprezzato in tutto il mondo. Scrisse soprattutto opere buffe, cioè comiche, di cui le più importanti sono *L'Italiana in Algeri*, *La gazza ladra*, *Semiramide* e il drammatico *Guglielmo Tell*. Ma l'opera più nota di Rossini è sicuramente *Il barbiere di Siviglia*, in cui Figaro, furbo barbiere, aiuta il conte di Almaviva a conquistare Rosina, fregando Don Basilio, suo protettore; un'opera molto divertente con musica bellissima.

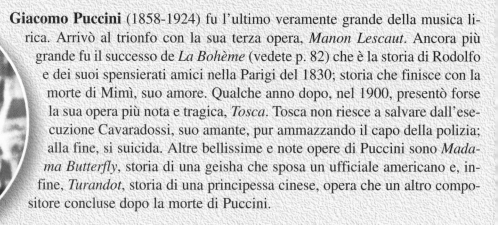

Giacomo Puccini (1858-1924) fu l'ultimo veramente grande della musica lirica. Arrivò al trionfo con la sua terza opera, *Manon Lescaut*. Ancora più grande fu il successo de *La Bohème* (vedete p. 82) che è la storia di Rodolfo e dei suoi spensierati amici nella Parigi del 1830; storia che finisce con la morte di Mimì, suo amore. Qualche anno dopo, nel 1900, presentò forse la sua opera più nota e tragica, *Tosca*. Tosca non riesce a salvare dall'esecuzione Cavaradossi, suo amante, pur ammazzando il capo della polizia; alla fine, si suicida. Altre bellissime e note opere di Puccini sono *Madama Butterfly*, storia di una geisha che sposa un ufficiale americano e, infine, *Turandot*, storia di una principessa cinese, opera che un altro compositore concluse dopo la morte di Puccini.

La grande Maria Callas, interprete di Madama Butterfly *nel 1955.*

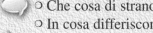 ○ Che cosa di strano c'è nella vita di Rossini? Qual è la trama del *Barbiere di Siviglia*?
○ In cosa differiscono le storie de *La Bohème* e di *Tosca*?
○ Fate un breve riassunto (80-100 p.) dei testi sui due compositori.

Giuseppe Verdi (1813-1901)

Il "padre" della musica lirica, dovette affrontare grandi sfortune personali: in soli tre anni perse la moglie e i suoi due figli! Ma Verdi era un uomo veramente forte; due anni dopo, nel 1842, ottenne il suo primo trionfo con il drammatico *Nabucco*. Da quest'opera, famoso e commovente è il verso "Va' pensiero sull'ali dorate", cantato dagli ebrei prigionieri che sognano il ritorno in patria. Altrettanto grande fu il successo di *Macbeth*. In un periodo in cui l'Italia era sotto il dominio austriaco e lo spirito del Risorgimento cresceva, Verdi diventò il simbolo dell'Indipendenza. Le sue opere erano eventi musicali e, nello stesso tempo, patriottici.

Poi, tra il 1851 e il 1853 venne la grande trilogia tragica. In *Rigoletto* (vedete p. 82) il protagonista uccide per sbaglio sua figlia. Ne *Il Trovatore* una donna muore tra le braccia del suo amore, un misterioso eroe popolare che si oppone all'invasione straniera. Infine, ne *La Traviata*, tratta dal romanzo "La signora delle camelie" di A. Dumas, Violetta, dopo varie sventure, muore malata tra le braccia del suo amato Alfredo.

In seguito Verdi scrisse *I vespri siciliani*, storia della vittoria dei siciliani contro i francesi nel 13º sec., e *Un ballo in maschera*. Proprio in quel periodo sui muri i patrioti italiani scrivevano "Viva V.E.R.D.I.". In realtà, oltre ad onorare il grande musicista, intendevano lanciare un messaggio politico; l'acrostico, infatti, significava Viva Vittorio Emanuele Re d'Italia.

Altri grandi successi furono *La forza del destino, Don Carlos* e l'*Aida*, un'opera spettacolare, ambientata nell'antico Egitto, che Verdi compose per l'inaugurazione del Canale di Suez nel 1871. Ultime creazioni *Otello* e *Falstaff*, un'opera comica che compose a 80 anni. Nel 1901 ci fu grandissima commozione in tutta Italia perché si spegneva non solo un genio del melodramma, ma un vero eroe nazionale.

1. In questa opera di Verdi uno dei protagonisti perde un parente:
   - ❑ a. *La Traviata*
   - ❑ b. *Rigoletto*
   - ❑ c. *Aida*
   - ❑ d. *Nabucco*

2. Quali di queste opere hanno soggetto storico?
   - ❑ a. *Nabucco* e *Il Trovatore*
   - ❑ b. *I vespri siciliani* e *Falstaff*
   - ❑ c. *La Traviata* e *Macbeth*
   - ❑ d. *Nabucco* e *Aida*

3. Giuseppe Verdi fu tra l'altro:
   - ❑ a. un bravo compositore
   - ❑ b. il simbolo di un'Italia libera
   - ❑ c. sostenitore del re
   - ❑ d. un bravo librettista

Il finale della *Cavalleria Rusticana*, capolavoro di Pietro Mascagni: Santuzza abbraccia Turiddu, che Alfio ha ammazzato per una questione d'onore. Altri grandi dell'opera furono Bellini (*Norma* ecc.) Donizetti (*L'elisir d'amore* ecc.), Leoncavallo (*I pagliacci* ecc.) e altri.

Riccardo Muti, da anni direttore della Scala di Milano, come lo furono il grande Arturo Toscanini e Claudio Abbado.

Se volete ulteriori informazioni, ecco qualche utile indirizzo su Internet:
www.operaitaliana.com
www.lucianopavarotti.it
www.lascala.milano.it
www.giuseppeverdi.it

Andiamo a vivere in campagna

Gennaro e Daniela, amici, parlano di problemi e progetti.
Ascoltateli senza guardare il testo.

1 *Ascoltate di nuovo il brano e rispondete alle domande*

1. Gennaro ha un appartamento in centro.
2. Vorrebbe andare a vivere fuori città.
3. Il problema principale è che non trova più parcheggio.
4. La sua famiglia non è ancora d'accordo.

	vero	falso

Daniela: Come mai leggi gli annunci? Cerchi lavoro?

Gennaro: No, cerco casa.

Daniela: Ah, sì? Pensavo che tu fossi contento del tuo appartamento.

Gennaro: Lo ero all'inizio. Non mi aspettavo che questa città si trasformasse in un inferno! Ma lo sai che per trovare parcheggio ci metto un quarto d'ora ormai?

Daniela: Ma che mi dici!? Io credevo che la vostra fosse la zona più bella della città e ci si potesse vivere senza l'inquinamento ed i rumori del centro.

Gennaro: Una volta sì, ora non più. Da quando hanno costruito quel colossale centro commerciale l'intera zona è sempre piena di macchine e lo smog è arrivato fino a noi. Vedi, quelli del Comune hanno pensato che anche noi avessimo il diritto di respirarlo! Meno male che non ci fanno pagare anche le tasse!

Daniela: Io veramente non pensavo che voi aveste problemi del genere. Quindi, vuoi cambiare anche quartiere?

Gennaro: Quartiere? Magari trovassi una bella casetta in campagna: comoda, con un piccolo giardino, in mezzo al verde e all'aria pulita. Forse dovevo farlo prima che la situazione diventasse insopportabile. Oppure prima che il proprietario mi aumentasse l'affitto!

Daniela: Ma, tua moglie, i tuoi figli, che ne pensano?

Gennaro: Questo è il problema: vogliono rimanere qua!!!

Daniela: E come farai a convincerli?

Gennaro: Ah, ci ho già pensato: ai miei figli comprerò un cane, sai una di quelle razze che devono correre cento chilometri al giorno, cosa che qua è impossibile. Poi, a mia moglie comprerò una macchina perché si sposti senza lamentarsi. Oppure una bici, che è anche ecologica.

Daniela: Non sapevo che tu fossi così ecologista.

Gennaro: Ecologia a parte, sai quanto costa oggi una macchina?!!

2 _Leggete il brano ad alta voce in modo quanto più "italiano" possibile, imitando magari la pronuncia e l'intonazione dei parlanti della cassetta; insomma recitate leggendo_

3 _In base a quanto avete letto rispondete prima oralmente e poi per iscritto (15-20 p.) alle domande_

1. Cos'è cambiato ultimamente nel quartiere in cui vive Gennaro? ....
....
....

2. Che idea aveva Daniela della zona in cui vive Gennaro? ....
....

3. Dove vorrebbe andare a vivere Gennaro e per quali motivi, secondo voi? (20-25 p.) ....
....
....

4. Come pensa di persuadere la sua famiglia? ....
....

4 _Ecco adesso il dialogo tra Gennaro e sua moglie; completatelo con le parole date a fianco_

moglie: Cambiare casa? Dici sul serio? Ma tu non volevi che ci .... proprio in questa zona?	_**pensasse**_
Gennaro: Sì, ma allora nessuno di noi si aspettava che .... un inferno; o che .... quel centro commerciale.	_**venissero**_
moglie: Guarda che a me fa molto comodo.	
Gennaro: Non ne dubito! Però fa comodo anche a centinaia di persone che ogni giorno passano dalla nostra strada. Almeno non .... in macchina. L'aria è ormai irrespirabile.	_**costruissero**_
moglie: Non sapevo che per te .... un problema. Io non ci ho fatto mai caso!	_**diventasse**_
Gennaro: Lo so: magari tu .... almeno ai piccoli; sono loro che hanno più bisogno di aria pulita, di spazio per correre, per portare il cane fuori.	_**pensassi**_
moglie: Cane, quale cane?! Pensi di comprare anche un cane?! Ma che ti è preso stamattina?	_**amassi**_
Gennaro: Perché? Credevo che tu .... gli animali. Poi pensa a quanto piacerà ai bambini: ne andranno matti.	_**fosse**_
moglie: Vorrei che qualcuno .... anche a me ogni tanto. Senti, della casa nuova possiamo discuterne; però, niente cani, ok?!	_**trasferissimo**_

5 _In base a quanto avete letto scrivete un breve riassunto (80-100 p.) **dei due dialoghi**_

Congiuntivo imperfetto

-are ⇨ -assi	-ere ⇨ -essi	-ire ⇨ -issi

	parlare		avere		finire	
	Angela voleva che:		*Bisognava che:*		*Era necessario che:*	
io	parl**assi**		av**essi**		fin**issi**	
tu	parl**assi**		av**essi**		fin**issi**	
lui	parl**asse**	di	av**esse**	più	fin**isse**	subito
noi	parl**assimo**	meno	av**essimo**	soldi	fin**issimo**	
voi	parl**aste**		av**este**		fin**iste**	
loro	parl**assero**		av**essero**		fin**issero**	

Il congiuntivo imperfetto assomiglia all'indicativo imperfetto. E ne segue le particolarità:
bere - **bevessi** / dire - **dicessi** / fare - **facessi** / porre - **ponessi**

6 *Completate oralmente le frasi con il congiuntivo imperfetto*

1. Bisognava che (*noi-comprare*) una casa in campagna!
2. Non sapevo che le cose (*andare*) così male tra voi due.
3. Quando l'ho vista ho pensato che (*avere*) più di trent'anni.
4. Era veramente necessario che tu (*partire*) prima di noi?
5. I miei desideravano che io (*fare*) l'avvocato. Sogni...
6. Scemo! Dovevi scappare senza che i tuoi se ne (*accorgere*).
7. Non ho preso l'ombrello perché non mi aspettavo che (*piovere*).
8. Finalmente: avevo paura che voi non (*venire*).

Per fortuna solo tre verbi non assomigliano all'indicativo imperfetto:

	essere		dare		stare	
	Credeva che:		*Occorreva che:*		*Hanno pensato che:*	
io	**fossi**		**dessi**		**stessi**	
tu	**fossi**	un	**dessi**		**stessi**	
lui	**fosse**	altro	**desse**	cinque	**stesse**	male
noi	**fossimo**		**dessimo**	esami	**stessimo**	
voi	**foste**	ricchi	**deste**		**steste**	
loro	**fossero**		**dessero**		**stessero**	

Nel *Libro degli esercizi* vedete n. 1 - 4

Ricordate in quali casi usiamo il congiuntivo? Parlatene

7 Annunci pubblicitari

annunci tratti dal *Corriere della Sera*

1 MILANO 3 vendiamo anche arredati appartamenti varie metrature e prestigiose ville con giardino privato. Informazioni Edilnord 02-75.52.34

2 4 km lago Garda, residence con piscina, tennis, giochi, appartamenti termoautonomi, giardino privato, ampio terrazzo, vista lago, minimo anticipo. 035-32.06.29

3 ATTENZIONE! Venditore impazzito vende nuovissima villetta, soggiorno, camera, bagno, box e giardino. 0342-50.32.76

4 Gardone Riviera (Brescia), immerso nel verde, vista lago, in nuovo elegante residence a ville, appartamenti indipendenti, piscina, terrazzi. Propone direttamente il costruttore, no spese intermediazione. Tel. 0464-43.56.67

5 ARESE privato vende prestigiosa villa singola 230 mq. più taverna-garage, vasto giardino. Telefonare 02-92.11.44

6 CAUSA separazione vendo largo Augusto stupendo appartamento ristrutturato, aria condizionata. Telefono 02-55.88.32

7 Monolocale libero, vicinanze Sesto San Giovanni, arredato, cucinotto, bagno, balcone, piano alto. Affarone. 02-40.46.024

8 Prestigioso attico palazzo epoca mq. 200 più 70 terrazzo. Zona centralissima soluzione esclusiva affascinante. 02-59.90.10.07

9 Città Studi, signorile, salone quadruplo, cucina, tre camere, guardaroba, tripli servizi, box. 02-88.801

10 AFFARE centralissimo, libero recente signorile, piano alto, soggiorno, pranzo, due camere, guardaroba, biservizi, cucina abitabile, box. Telefono 02-48.01.33.95

Osservate gli annunci e scegliete - giustificando la scelta - l'abitazione ideale per:

a. ..... Debora, che cerca un appartamento per le vacanze estive
b. ..... Luigi, uno studente che cerca un appartamentino a buon mercato
c. ..... i signori Scarlatti, che cercano una casa in centro e hanno due figli
d. ..... una compagnia di quattro studenti
e. ..... una giovane coppia che cerca un appartamento in buone condizioni
f. ..... il dott. Teocoli, che cerca una casa in campagna, senza spendere troppo
g. ..... i signori Marini, che vogliono una villa senza badare al prezzo
h. ..... la sig.ra Gianni, che cerca un piccolo appartamento con giardino, ma non in centro

○ In quale di queste case o appartamenti vorreste vivere e perché? Scambiatevi idee.
○ Scrivete tre annunci: uno per la casa in cui vivete, uno per quella dei vostri sogni e uno per l'abitazione ideale di un ecologista. (10-15 p./annuncio)

Congiuntivo trapassato

Si è comportata così perché credeva che tu **avessi parlato** male di lei.
Pensavo che **foste tornati**, per cui non ho provato a telefonarvi.
Nonostante **avessi mangiato** a casa, ho accettato di cenare con lui.
Era impossibile che lei **fosse partita** senza avvertirmi.
Non ci sono andato benché mi **avesse invitato** lei di persona.

Nel *Libro degli esercizi* vedete n. 5 e 6

8 Porre un fatto come facile

Daniela: Non credevo che avresti trovato subito la casa dei tuoi sogni; come hai fatto?

Gennaro: Facile: all'inizio, come ricordi, ho cercato tra gli annunci. Poi mi sono rivolto ad un'agenzia immobiliare: una cosa da nulla!

Daniela: Complimenti! Allora, com'è la vita nelle piccole città? Dura, eh?

Gennaro: Niente affatto! Non ho avuto nessun problema.

Daniela: Davvero?! Ti sei già abituato alla vita di provincia?

Gennaro: Certo, ed è stato facile.

Daniela: E con il tuo lavoro?

Gennaro: Semplice: mi sono dimesso e adesso lavoro da libero professionista. Guadagno un po' meno, ma in compenso respiro finalmente aria pura.

Daniela: E della città non ci sono cose che vi mancano? Che ne so, locali, cinema, ristoranti?

Gennaro: No, niente di tutto questo. Quando vivi in mezzo al verde e la prima cosa che vedi la mattina è il lago, non pensi a queste cose. Solo a mia moglie mancano... i negozi di Milano. Che, in fin dei conti, mi conviene!

9

Role-play

▷ Sei **A**: *rispondi, usando anche le espressioni di sopra, alle domande di* B:

▷ Sei **B**: *chiedi ad A come*:

◆ è riuscito a superare tutti gli esami che ha sostenuto
◆ ha convinto i suoi genitori a comprargli una macchina nuova
◆ ha fatto ad imparare così bene l'italiano
◆ è riuscito a trovare il posto di lavoro che cercava da anni
◆ ce l'ha fatta ad iscriversi a Medicina
◆ ha fatto a conquistare il/la ragazzo/a che voleva

La concordanza dei tempi del congiuntivo

Credo che Laura	**faccia / farà** un buon lavoro (domani, al futuro)
	faccia un buon lavoro (oggi, nel presente)
	abbia fatto un buon lavoro (ieri, nel passato)
Credevo che Laura	**facesse / avrebbe fatto** un buon lavoro (il giorno dopo)
	facesse un buon lavoro (in quel momento/periodo)
	avesse fatto un buon lavoro (il giorno prima)

Nel *Libro degli esercizi* vedete n. 7 - 10

10 *Leggete questa inserzione di Legambiente e delle affermazioni che seguono indicate quelle veramente esistenti*

❑ Mal'aria è un gioco.
❑ Chi partecipa deve stendere un telo fuori dal suo balcone.
❑ Poi lo deve lavare a 90°.
❑ Lo scopo è misurare l'inquinamento dell'aria.
❑ Nel kit c'è anche una mascherina che non inquina.
❑ Inoltre, c'è materiale relativo alla mentalità ambientale e stradale.
❑ Si può comprare il kit di Mal'aria dappertutto.

TORNA MAL'ARIA.
I PANNI SPORCHI NON SI LAVANO IN FAMIGLIA

Siamo alla quarta edizione di Mal'Aria, e sull'inquinamento, ancora una volta, dobbiamo stendere un telo pietoso.

Ma il telo di Mal'Aria non serve per coprire. Stendilo fuori dal balcone: il nero che troverai sul lenzuolo ti dirà quanto inquinamento c'è nell'aria, e nei tuoi polmoni.

Con la differenza che i tuoi polmoni non possono essere lavati a 90°.

Nel kit di Mal'Aria troverai anche una mascherina anti-inquinamento, un piccolo vademecum di educazione ambientale, un adesivo per ricordare agli automobilisti che esistono anche i pedoni e una striscia per misurare l'intensità dell'inquinamento sul lenzuolo.

Questi strumenti, con il tuo impegno, impediranno a chiunque di mettere in lavatrice la propria coscienza.

Per avere il kit di Mal'Aria contatta il gruppo Legambiente della tua città, chiama Legambiente nazionale al numero *06/86268388*, o semplicemente compila e spedisci il coupon allegato.

LEGAMBIENTE
Operazione Mal'Aria

◆ Cosa pensate di questa iniziativa? Scambiatevi idee.
◆ Quali sono i suoi obiettivi? Che risultati avrà, secondo voi?
◆ Da quanto sapete ci sono attività analoghe nel vostro paese? Parlatene.
◆ Avreste qualche iniziativa del genere da suggerire? Pensateci!

Uso del congiuntivo (I)

Ricordiamo in breve quando bisogna usare il congiuntivo:

Opinione soggettiva:	**Credevo / pensavo / avrei detto che** lui *fosse* più intelligente.
	Immaginavo / supponevo / ritenevo che tutto *fosse finito*.
	Mi pareva / mi sembrava che lei *fumasse* troppo.
Incertezza:	**Non ero sicuro / certo che** Mario *fosse* veramente bravo.
	Dubitavo che Anna Maria *avesse pensato* a questa cosa.
	Non sapevo se / ignoravo se si *fosse* già *laureato*.
Volontà:	**Volevo / desideravo / preferivo che** *venisse* anche lei.
	Vorrei che tu *rimanessi*. / **Avrei voluto che** tu *fossi rimasto*.
Stato d'animo:	**Ero felice / contento che** finalmente *vi sposaste*.
	Mi faceva piacere / mi dispiaceva che le cose *stessero* così.
Speranza:	**Speravo / mi auguravo che** tutto *finisse* bene.
Attesa:	**Aspettavo che** *arrivasse* mia madre per uscire.
Paura:	**Avevo paura / temevo che** lui *se ne andasse*.

Verbi o forme _impersonali:_	**Bisognava / occorreva che** voi _tornaste_ presto. **Si diceva / dicevano che** Carlo e Lisa _si fossero lasciati._ **Pareva / sembrava che** _fossero_ ricchi sfondati.
(non) {	**Era necessario / importante che** io gli _parlassi._ **Era opportuno / giusto che** questa storia _finisse_ lì. **Era ora / tempo che** lei mi _dicesse_ tutta la verità. **Era bene / male che** _foste venuti_ presto. **Era meglio / peggio che** io _avessi invitato_ tutti quanti? **Era normale / naturale / logico che** ci _fosse_ traffico a quell'ora? **Era preferibile che** io non _uscissi_ con voi; ero di cattivo umore. **Era strano / incredibile che** Gianna _avesse reagito_ così male. **Era possibile / impossibile che** tutti _fossero fuggiti._ **Era probabile / improbabile che** lei _sapesse_ già tutto. **Era facile / difficile che** uno _desse_ l'impressione sbagliata. **Era un peccato che** _perdeste_ questo spettacolo. <u>ecc.</u>

Attenzione! Se una frase, invece, esprime certezza o oggettività usiamo l'indicativo:
-Ero sicuro che lui era un amico. / -Sapevo che era partito. / -Era chiaro che aveva ragione.

Nel **_Libro degli esercizi_** vedete n. 11 - 14

11 Ascolto: Città italiane; quanto sono inquinate?

a. _Ascoltate due volte il brano e completate le frasi (massimo 3 parole)_

1. Per quanto riguarda la depurazione delle acque, Bergamo è ....
2. È, invece, al 16° posto per la raccolta ....
3. Anche se ha molto verde, Prato consuma ....
4. Ad Arezzo si raccoglie oltre il 12% ....
5. Rispetto all'ultimo studio, Roma ha migliorato la sua posizione ....
6. Il problema principale di Napoli è ....
7. Ma ultimamente Napoli ha avviato la ....
8. Milano ha il più elevato ....

b. _Riascoltate il testo e rispondete alle domande_

- ◆ Per quali motivi Bergamo è prima in classifica?
  Scambiatevi informazioni.
- ◆ Quali sono i punti forti di Prato?
- ◆ In quali settori è migliorata Roma?
- ◆ Quali sono i punti forti e deboli di Milano?

12

Completate questo volantino con le paro-
le date e poi parlatene: qual è lo scopo di
questa iniziativa? Ce ne sono simili da
voi? Cosa si dovrebbe fare?

L'Italia contribuisce?

I comuni, per regione, attivi nella raccolta differenziata delle bottiglie di plastica.

Friuli	48,40%
Trentino	34,81%
Veneto	47,25%
Emilia Romagna	22,58%
Liguria	7,66%
Lombardia	46,83%
Piemonte	17,78%
Lazio	3,99%
Umbria	8,70%
Marche	38,62%
Toscana	22,30%
Sardegna	0,27%
Sicilia	1,79%
Puglia	22,57%
Calabria	3,91%
Basilicata	15,27%
Campania	11,98%
Molise	1,47%
Abruzzo	4,26
ITALIA	**23,74**

mancano / misura / pubblico / veramente / periferia / tutti / prendere / riduzione / guadagnare / cui

UNA CITTÀ PER LE BICICLETTE

La bicicletta, per combinare il diritto alla mobilità con il diritto alla salute di ....

La bicicletta, una scelta di civiltà da incentivare tramite una rete di piste ciclabili che uniscano la .... al centro e che si integri con i mezzi di trasporto ....

Una scelta di civiltà da incoraggiare con una serie di piccoli interventi di facile attuazione.

Una scelta da sostenere e salvaguardare con una drastica .... del traffico inquinante e il forte incremento delle zone pedonali.

UNA CITTÀ PER I BAMBINI

Una città ciclabile non vuol dire solo una città per le biciclette. Una città ciclabile è, soprattutto, una città più vivibile, più a .... di bambino.

Perché sono i bambini i più entusiasti sostenitori della bicicletta, perché proprio i bambini rischiano più di tutti nel traffico caotico delle nostre città.

Sogniamo una città in .... i bambini possano stare all'aperto, giocare e, perché no?, pedalare in tutta tranquillità e sicurezza.

UNA CITTÀ PER I CITTADINI

Fare la coda, trovare un parcheggio, non trovarlo, ... una multa, fare ancora una coda, cercare un altro parcheggio introvabile... Ma siamo sicuri che .... l'automobile ci porti rapidamente a destinazione?

Sicuramente ci porta stress rendendo per di più la città invivibile. E anche per chi si sposta in motorino i problemi non ....

Spostarsi a piedi o in bicicletta è invece un'esperienza rilassante e che, probabilmente, ci fa pure ....un po' del nostro prezioso tempo. Perché rinunciarvi?

ASSOCIAZIONE CITTÀ CICLABILE

Uso del congiuntivo (II)

benché / sebbene **nonostante / malgrado**	**Benché / sebbene** *mi sentissi* stanco, sono uscito. **Nonostante / malgrado** *fosse* in ritardo, non aveva fretta.
purché **a patto / condizione che** **bastava che**	Sono uscito con lei, **purché** *si comportasse* da signora! Avrebbe firmato, **a patto che** l'accordo *rimanesse* segreto. **Bastava che** *guardasse* la tv e si addormentava subito.
senza che	Mi hanno dato un aumento, **senza che** io lo *chiedessi*.
nel caso che	**Nel caso che** Lei *finisse* presto, potrebbe andare a casa.
affinché / perché	L'ho fissata a lungo negli occhi, **affinché / perché** mi *notasse!*
prima che	Dovevo scappare **prima che** *venisse* la polizia. ma: Prima di scappare ho spento l'allarme.
a meno che / tranne che	Sarebbe venuto, **a meno che / tranne che** non *fosse* straimpegnato.
come se	Ricordo quella notte **come se** *fosse* ieri.

13

Completate le frasi inserendo le congiunzioni della scheda precedente

1. Mi ha detto cos'è successo .... non lo dicessi a nessuno.
2. Per fortuna siamo arrivati a casa .... si mettesse a piovere.
3. Era pallida .... avesse visto un fantasma!
4. .... litigassero molto spesso, non decidevano di lasciarsi.
5. Amore, ... tu trovassi un altro, ti prego, trattalo come tratti me!
6. Lo prendevano in giro .... lui se ne accorgesse.
7. Era sempre allegro .... la sua squadra non avesse perso!
8. L'hanno invano mandato ad una scuola privata .... imparasse qualcosa.

> Nel *Libro degli esercizi* vedete n. 15 e 16

14

Canzone: *Cantando "Il ragazzo della via Gluck" al festival di Sanremo nel 1966, Adriano Celentano, uno dei miti della musica italiana (ma anche bravo attore), è stato forse il primo ad occuparsi di un argomento purtroppo ancora oggi attuale*

Questa è la storia di uno di noi,
anche lui nato per caso in via Gluck
in una casa fuori città...
Gente tranquilla che lavorava!
Questo ragazzo della via Gluck
si divertiva a giocare con me,
ma un giorno disse: "Vado in città!"
E lo diceva mentre piangeva;
io gli domando: "Amico non sei contento!
Vai finalmente a stare in città!
Là troverai le cose che non hai avuto qui!
Potrai lavarti in casa senza andar giù nel
cortile!"
"Mio caro amico - disse - qui sono nato
e in questa strada ora lascio il mio cuore!
Ma come fai a non capire...
È una fortuna per voi che restate
a piedi nudi a giocare nei prati

mentre là in centro io respiro il cemento!"
Ma verrà un giorno che ritornerò ancora qui...
e sentirò l'amico treno che fischia così:
"wa wa".
Passano gli anni... ma otto son lunghi,
però quel ragazzo ne ha fatta di strada,
ma non si scorda la sua prima casa,
ora coi soldi, lui può comperarla...
Torna e non trova gli amici che aveva,
solo case su case... catrame e cemento!
Là dove c'era l'erba... ora c'è una città
e quella casa in mezzo al verde ormai dove
sarà!
Non so, non so
perché continuano a costruire le case
e non lasciano l'erba
e no, se andiamo avanti così,
chissà come si farà!

1. Perché il ragazzo va in città e con quali sentimenti? Come reagisce il suo amico?
2. Cosa trova quando torna al suo paese e come si sente?
3. Cosa vuole criticare l'autore della canzone, secondo voi? Siete d'accordo?
4. Quale credete sia il 'verso-chiave' (o quello più bello) della canzone e perché?
5. Come sono le cose oggi rispetto agli anni '60? Scambiatevi idee.
6. Cosa dovrebbe cambiare affinché non ci siano canzoni sullo stesso argomento in futuro? Siete generalmente ottimisti o no e perché?

15 **Ambiente: basta con gli slogan! Ci vogliono fatti!**

Uno slogan ovviamente non basta per salvare l'ambiente, ma potrebbe essere uno stimolo alla riflessione. Scrivete i vostri (almeno 2 su ambiente, animali ecc.) su questo 'muro'; (ma, mi raccomando, non lo fate su quelli veri!) Poi commentateli e votate i più originali!

NON ABBIAMO LA TERRA IN EREDITÀ DAI NOSTRI PADRI
MA IN PRESTITO DAI NOSTRI FIGLI

VIETATO SCRIVERE SUL MURO!
(ESCLUSI GLI SLOGAN ECOLOGICI)

Uso del congiuntivo (III)

chiunque qualsiasi qualunque (d)ovunque comunque	Lui litigava con **chiunque** *avesse* idee diverse dalle sue. Poteva chiamarmi per **qualsiasi** cosa *volesse* chiedere. **Qualunque** cosa gli *venisse* in mente, la diceva senza pensarci! **Dovunque** lei *andasse,* lui la seguiva! Non perdeva il coraggio, **comunque** *andassero* le cose.
il più.. più di quanto...	Era **la** donna **più bella** che *avessi* mai *conosciuto.* L'incendio è stato **più** disastroso **di quanto** si *potesse* immaginare.
l'unico / il solo che	Giorgio era **l'unico / il solo che** *potesse* aiutarti in quella situazione.
augurio - desiderio	**Magari** tu *fossi* qui! / **Che (almeno)** *avesse ascoltato* i miei consigli!
che... sia... (inversione)	Che *fossero* poveri, lo sapevo. <u>ma</u>: Sapevo che *erano* poveri. Che mi *avesse tradito* era sicuro. <u>ma</u>: Era sicuro che mi *aveva tradito.*
dubbio	Che *fossero* già *partiti?* / Non mi parlava: che *fosse* arrabbiata?
domanda indiretta	**Ha chiesto se** tu *avessi* fiducia in lei.
certe frasi relative (secondo il significato)	Dovevo trovare una segretaria che *fosse* più esperta. Cercava una casa in campagna che non *costasse* troppo.

Nel *Libro degli esercizi* vedete n. 17 e 18

16 **Parliamo** *Descrivete queste foto e commentatele; poi rispondete alle domande*

NON ABBANDONARE GLI ANIMALI

FOCA MONACA

1. Che difficoltà affronta chi ha un animale domestico? Voi ne avete? Parlatene.
2. Cosa pensate di quelli che abbandonano gli animali (in estate e in genere)?
3. Cosa sapete della Foca Monaca e di altri animali in via di estinzione (balene, panda, tartarughe Caretta Caretta ecc.)? Scambiatevi informazioni.
4. Cosa si sta facendo per la loro protezione e da parte di chi?
5. Che idea avete degli zoo e del circo? Sono forse una forma di sfruttamento degli animali?

17 *Abbinate le parole relative tra loro; se necessario usate il dizionario*

smog	riciclaggio
effetto serra	intenso
raccolta differenziata	gas di scarico
inquinamento	inquinato
traffico	buco dell'ozono
mare	atmosferico

QUANDO *NON* USARE IL CONGIUNTIVO!

Usiamo l'**INFINITO** o l'**INDICATIVO** e **non il congiuntivo** nei seguenti casi:

SOGGETTO UGUALE	Pensavo che tu *fossi* bravo.	<u>ma</u>	**Pensavo di *essere* bravo.** (io)
	Ilaria voleva che io *andassi* via.	<u>ma</u>	**Ilaria voleva *andare* via.** (lei)
	Eri contento che io *fossi venuta*?	<u>ma</u>	**Eri contenta di *essere venuta*?** (tu)
espressioni impersonali	Bisognava che tu *facessi* presto.	<u>ma</u>	**Bisognava *fare* presto.**
	Era meglio che io *partissi* subito.	<u>ma</u>	**Era meglio *partire* subito.**
Secondo me Forse Probabilmente	**Secondo me**, aveva torto.		
	Forse lui non voleva stare con noi.		
	Probabilmente non era a casa in quel momento.		
anche se poiché dopo che	**Anche se** era molto giovane, non gli mancava l'esperienza.		
	Noi ci siamo incontrati, **poiché** lui aveva da fare.		
	Sono andato a letto, solo **dopo che** avevo finito di studiare l'italiano.		

Nel *Libro degli esercizi* vedete n. 19 e 20

18 Ascolto *(Libro degli esercizi, p. 84)*

19 Situazioni

1. Hai deciso di trovare una casa in campagna e di vendere l'appartamento che hai in città. Vai, quindi, in un'agenzia immobiliare e chiedi informazioni sulla casa dei tuoi sogni, adatta però alle tue possibilità economiche. L'impiegato ti risponde e chiede a sua volta informazioni sul tuo appartamento.
2. Dopo averci pensato per anni, prendi la decisione di andare a vivere fuori città; ne parli, quindi, con il/la tuo/a partner (fidanzato/a ecc.). Il problema è che lui/lei non è affatto pronto/a a rinunciare alle comodità che offre una metropoli, di cui tu sei stanco.

20 Scriviamo

Hai letto di una catastrofe ecologica (incendio, alluvione ecc.) avvenuta nel Sud d'Italia. Scrivi una lettera ad un amico italiano e:
- ◆ chiedi i particolari, le cause ecc.
- ◆ racconti un disastro simile, successo pochi anni fa nel tuo Paese
- ◆ parli della coscienza ecologica dei tuoi connazionali. (80-120 p.)

Fate il test finale dell'unità

Italia e ambiente naturale

Fisionomia del paese

Il 78% del territorio italiano (in tutto 301.000 km²) è coperto da montagne o colline e solo il rimanente 22% da pianure. Ai confini con la Francia, la Svizzera e l'Austria sorgono le Alpi, una gigantesca catena montuosa, la più grande d'Europa. L'altra importante catena montuosa, gli Appennini, parte dalle Alpi e arriva fino alla Sicilia, costituendo quindi, "la spina dorsale" dell'Italia, lunga oltre 1.500 km. Bisogna, inoltre, dire che le cime alpine sono le più alte in Europa: Monte Bianco 4.807 m., Monte Rosa 4.634 m., Cervino 4.477 m. Più noti forse i vulcani italiani, Vesuvio, Etna e Stromboli, tutti attivi e disastrosi; Pompei, distrutta dall'eruzione del Vesuvio nel 79 d.C., ne è la prova.

La pianura più grande, vasta 500 km², è quella Padana, attorno al fiume Po. Altre pianure importanti sono quelle del fiume Arno, che attraversa Firenze, e del Tevere, che attraversa Roma. Importanti sono anche i laghi del Belpaese, quasi tutti al Nord: quello Maggiore, quello di Como e quello di Garda, il più grande. Al Centro della Penisola, invece, c'è il lago Trasimeno.

Le coste italiane, poi, bagnate da quattro mari, Ligure, Tirreno, Ionio e Adriatico, si allungano per ben 8.000 km. Oltre alle due grandi e bellissime isole, la Sicilia e la Sardegna, ce ne sono molte minori, tra cui le più note sono quelle d'Elba, d'Ischia, di Capri e le vulcaniche Eolie.

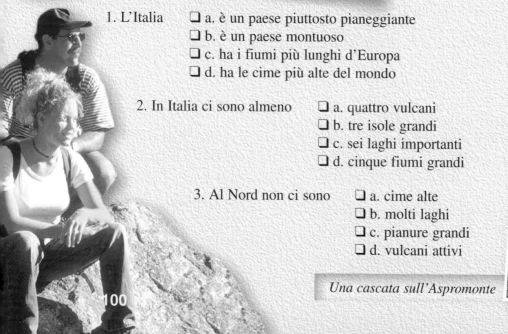

1. L'Italia
   - ❑ a. è un paese piuttosto pianeggiante
   - ❑ b. è un paese montuoso
   - ❑ c. ha i fiumi più lunghi d'Europa
   - ❑ d. ha le cime più alte del mondo

2. In Italia ci sono almeno
   - ❑ a. quattro vulcani
   - ❑ b. tre isole grandi
   - ❑ c. sei laghi importanti
   - ❑ d. cinque fiumi grandi

3. Al Nord non ci sono
   - ❑ a. cime alte
   - ❑ b. molti laghi
   - ❑ c. pianure grandi
   - ❑ d. vulcani attivi

Una cascata sull'Aspromonte

Legambiente

Tutela dell'ambiente, difesa della salute dei cittadini, salvaguardia del patrimonio artistico italiano... Sono molti i campi in cui *Legambiente* è quotidianamente impegnata, a livello nazionale e locale. Alle grandi battaglie si affianca infatti la quotidiana attività dei circa centocinquantamila soci e degli oltre duemila tra circoli e gruppi per l'ambiente sparsi su tutto il territorio nazionale: numeri che fanno di Legambiente la più diffusa associazione ambientalista italiana. Le sue campagne nazionali (come il *Treno Verde*, la *Goletta Verde*, l'*Operazione Fiumi* e *Salvalarte*) e le grandi giornate di volontariato (come *Puliamo il Mondo* e l'*Operazione Spiagge Pulite*), hanno ogni anno grandissimo successo, grazie alla numerosa partecipazione dei cittadini.

In Italia ci sono oggi oltre 4 milioni di volontari. Purtroppo, però, non sono solo i poveri, i malati o gli anziani ad avere bisogno d'aiuto; è anche l'ambiente. Nella foto un gruppo di volontari pulisce una spiaggia dal petrolio.

Trekking sull'orlo del cratere del Vesuvio. L'ecoturismo è molto diffuso in Italia, grazie ovviamente ai bellissimi paesaggi, che attirano escursionisti da molti paesi. Il Sentiero Italia è infatti il più lungo del mondo fra quelli aperti alla partecipazione di tutti. Ideato negli anni '80, anche se non ancora segnalato per intero, va dalla Sicilia alle Alpi, comprendendo anche la Sardegna.

Il Parco Nazionale dello Stelvio, *nelle Alpi centrali è il più grande d'Italia. Negli ultimi anni, la superficie dei parchi nazionali aumenta continuamente e oggi copre più del 10% del territorio italiano. Si può dire ormai che la coscienza ecologica coinvolge, oltre ai cittadini, anche lo Stato italiano.*

Se vi interessa la protezione dell'ambiente in Italia questi sono i siti delle organizzazioni più importanti:

www.greenpeace.it
www.legambiente.com
www.reteambiente.it (WWF Italia)

Tempo libero e tecnologia

Amedeo e Nando sono due alunni della scuola superiore;
ascoltate il loro dialogo senza guardare il testo.

1 *Ascoltate di nuovo il brano e rispondete alle domande*

1. Nando invita Amedeo a casa sua.
2. Nando non ha molta voglia di uscire.
3. Secondo Amedeo, Nando è cambiato ultimamente.
4. Il motivo è che s'interessa solo alle ragazze.

vero	falso

Amedeo: Stasera esci con noi o no?

Nando: Se vengono Lidia e Chiara, forse vengo pure io.

Amedeo: E se non verranno, che farai, resterai di nuovo a casa?

Nando: Te l'ho detto, sono un po' stufo delle stesse cose: cinema, osterie, pizzerie... Ma il motivo principale è che ho comprato quel DVD di cui ti parlavo!

Amedeo: Bravo!!! Macché, preferisci un videogame ai tuoi amici? Sei incredibile!

Nando: Lo devi vedere questo gioco, è straordinario; ha una grafica tridimensionale veramente fantastica, suono dolby surround, e se riesci ad uccidere il drago...

Amedeo: Ma che dici?! Guarda che se vai avanti così, presto non avrai più amici; ti isolerai! Tu che eri estroverso e socievole. Sono sicuro che se non avessi comprato questo maledetto computer, non saresti cambiato.

Nando: Non sono cambiato, ho solo nuovi interessi. Se provassi anche tu a giocare, vedresti quanto è interessante.

Amedeo: Ho giocato anch'io, mi piace, ma alla nostra età lo considero ormai una perdita di tempo. Se si imparasse almeno qualcosa, ne varrebbe la pena.

Nando: Perché, scusa, navigare in Internet non è istruttivo? Sai quante cose ho imparato?

Amedeo: Sì, le caratteristiche di tutti i giochi del mercato! Ma non lo capisci che tante ore davanti al computer ti fanno male? Se avessi passato tanto tempo a parlare e a divertirti con altre persone, avresti imparato molte più cose; sulla vita, non sulla realtà virtuale.

Nando: Ah, ti volevo dire: c'è un nuovo videogioco di realtà virtuale. L'ho visto oggi in un negozio, è una cosa tremenda e...

Amedeo: Ma basta! Piantala! Va bene, tu resta con i tuoi giochi ed io uscirò con Lidia e Chiara!

Nando: Ma...!

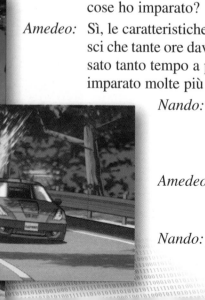

2 _Leggete il brano ad alta voce in modo quanto più "italiano" possibile, imitando magari la pronuncia e l'intonazione dei parlanti della cassetta_

3 _In base a quanto avete letto rispondete prima oralmente e poi per iscritto (15-20 p.) alle domande_

1. Per quali motivi non vuole uscire Nando? ....

....

2. Cosa ne pensa Amedeo? ....

....

3. Cosa pensano dei videogiochi i due amici? (20-25 p.) ....

....

....

4. Che idea ha dei computer Amedeo? ....

....

5. Chi ha ragione secondo voi? ....

....

4 _Amedeo racconta a Chiara cos'è successo; completate il loro dialogo con le parole date_

Chiara:	Alla fine Nando non viene?	**comincerò**
Amedeo:	No. Sarebbe venuto, se non .... un nuovo gioco!!!	
Chiara:	Sbaglio o sei arrabbiato con lui?	
Amedeo:	Un po' sì. Sai, è molto cambiato ultimamente: sta per delle ore davanti al computer e il suo tempo libero lo passa in Internet.	**avesse** **comprato**
Chiara:	E .... meglio se guardasse la tv?	
Amedeo:	No, ma tu credi che sia normale?	
Chiara:	Dipende... se si comporta male, allora certo che non è normale.	**sarebbe**
Amedeo:	Questo è il problema: ormai l'unica cosa che gli interessa sono questi videogiochi. Se non avesse comprato quel computer, non .... tante volte.	**faremmo**
Chiara:	Ma tu hai provato a giocare con lui?	
Amedeo:	Se .... dodici anni, mi sembrerebbe naturale, ma a questa età lo trovo stupido. Dimmi tu: se Lidia .... leggere anziché uscire con te, ti sentiresti bene?	**avremmo** **litigato**
Chiara:	Se Lidia si metterà a leggere .... a preoccuparmi veramente! Se, invece, avesse un computer, probabilmente giocheremmo insieme, oppure .... nuove amicizie via Internet!	**preferisse**
Amedeo:	Ma che succede? In questa compagnia l'unica persona rimasta seria sono io?!	**avessi**

5 _In base a quanto avete letto scrivete un breve riassunto (80-100 p.) **dei due dialoghi**_

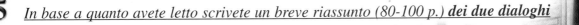

Periodo ipotetico

1° tipo: realtà - certezza

Se vengono le ragazze, vengo anch'io.
Se non verranno, allora resterò a casa.
Se vai avanti così, presto non avrai amici.

6 *Completate oralmente le frasi*

1. Se il fine settimana farà bel tempo...
2. Se stasera ci sarà qualche bel film alla televisione...
3. Se sei stanco...
4. Secondo me, se uno vuole divertirsi...
5. Se non sarò impegnato...

2° tipo: possibilità

Se provassi a giocare, ti piacerebbe sicuramente.
Secondo te, sarebbe meglio se guardasse la tv?
Se Lidia preferisse leggere anziché uscire, ti sembrerebbe logico?

7 *Vediamo cosa farebbe un bambino napoletano se fosse miliardario: completate il testo con i verbi tra parentesi (non badate ad eventuali errori del piccolo)*

Se fossi miliardario

Se *(essere)* .... miliardario non *(fare)* .... come Berlusconi, che si tiene tutto per sé e non dà niente a nessuno e fa i filmi sporchi. Lui è miliardario solo per sé e per la sua famiglia, ma per gli altri non lo è. Io se *(essere)* .... ricco come lui, *(fare)* .... il bene, per andare in Paradiso.

Se io fossi miliardario li *(dare)* .... tutti ai poveri, ai ciechi e al Terzo Mondo.

Se io *(avere)* .... molti soldi *(costruire)* .... tutta Napoli nuova e *(fare)* .... i parcheggi. Ai ricchi di Napoli non *(dare)* .... una lira, ma ai poveri tutto. Se *(essere)* .... ricco sfondato farei uccidere tutta la camorra e *(salvare)* .... i drogati.

Per me *(comprare)* .... una Ferrari Testarossa vera, una villa e una cameriera per mamma. Se *(avere)* .... molti miliardi a papà non lo farei più lavorare, ma lo *(fare)* .... stare in pensione a riposarsi. A Nicolino *(comprare)* .... un computer e a Patrizia tutti i dischi di Madonna. Infine *(andare)* .... a Venezia per vedere Venezia.

Io tutto questo lo potrò fare, se *(vincere)* .... il biglietto delle lotterie che ha comprato papà.

tratto dal libro *Io speriamo che me la cavo* di Marcello D'Orta

E voi cosa fareste se vinceste alla lotteria o al totocalcio? Ognuno esprima (oralmente o per iscritto) le cose che farebbe se diventasse improvvisamente ricco

3° tipo: impossibilità al passato
Se **non** avessi comprato **questo computer, non** saresti cambiato Se fossimo tornati **presto,** avremmo visto **tutto il film.** Se **tu** avessi letto **quell'articolo, ti** saresti arrabbiato **molto.**

8 *Completate oralmente*

1. Se le avessi proposto di sposarmi...
2. Se ieri tu fossi venuto con noi...
3. Se mi avessero avvisato…
4. Se non ve ne foste andati così presto...
5. Se mi fossi sposato a vent'anni...
6. Se avessi telefonato in tempo...

Nel *Libro degli esercizi* vedete n. 1 - 6

9 **Congratularsi - approvare**

Finalmente! Ho preso la patente con sole 42 lezioni!!

Complimenti! Sei bravissima!

Ho amici in tutto il mondo: pensa che ricevo ben dieci e-mail al giorno!

Congratulazioni! E il tempo per leggerle dove lo trovi?

Dopo otto anni Alice è riuscita a laurearsi!

Brava! Era tempo che si laureasse...

Mamma, ti piace il mio nuovo vestito?

Ecco: questo sì che è un vestito serio! Finalmente!

Disapprovare

Hai visto la sfilata ieri in tv?

Ma che schifo! Ma questa è moda secondo te?

Stai attento che via Manzoni è chiusa per lavori!

Ma no, ma non è possibile! Di nuovo?!

Hai sentito? Il governo ha deciso di imporre nuove tasse.

Cosa?! Ma è assurdo! Ogni mese nuove tasse; ma non si può andare avanti così!

10 ▷ Sei **A**: *parla a B:*

Role-play

- ◆ del computer molto potente che hai comprato
- ◆ dello sciopero generale di domani
- ◆ dell'esame che hai superato
- ◆ del film che volevate vedere e che non danno più
- ◆ di un disegno che hai appena finito
- ◆ della tua intenzione di stare a casa per giocare al computer
- ◆ del tuo nuovo telefonino
- ◆ della finale di calcio che la tv non trasmette

▷ Sei **B**: *usando anche le espressioni di prima, rispondi a quello che ti dice* A

Altre forme di periodo ipotetico

1° tipo: **Se hai** bisogno di qualcosa, **chiamami!**

3° tipo: **Se venivi** ieri, ti **divertivi** un sacco.
(= se fossi venuto, ti saresti divertito)

---

11 *Abbinate le due colonne e dite di che tipo è ogni frase*

Fammi sapere,	*vai a casa!*
Se avessi la possibilità,	*se non dovessi lavorare tanto.*
Se Elena studiava di più,	*se ti serve una mano.*
Se stavo attento,	*non c'era abbastanza spazio.*
Se sei stanco,	*non avevo quell'incidente.*
Usciremmo più spesso,	*se non segnavano cinque gol.*
Se venivano anche loro,	*superava l'esame di storia.*
Vincevamo noi,	*andrei in Italia anche domani.*

Nel *Libro degli esercizi* vedete n. 7 e 8

12 *Osservate questa foto e descrivetela; poi rispondete alle domande*

1. Cosa vi piace fare nel tempo libero? Quali sono i vostri interessi? Scambiatevi idee.
2. Un tempo un cd faceva forse parte della... fantascienza; oggi, invece, l'alta tecnologia si trova dappertutto. In quali casi ne approfittiamo e come influenza la nostra vita quotidiana?
3. Usiamo la tecnologia (alta e non) solo per lavoro o anche per divertimento? Spiegate.

13 *Leggete questi due testi e indicate a quale corrisponde ogni affermazione*

Bambini Supertecnologici
TEMPO LiBERO? ViVA iL COMPUTER

Tommaso e il videogiornalino
A 10 anni ce la fa senza libro di istruzioni

Tommaso, 10 anni, frequenta la quinta elementare. Il suo primo computer lo ha preteso per Natale all'età di quattro anni, un Macintosh. «Adesso ho un pc molto potente: con il sistema operativo *Windows* c'è ampia scelta di titoli di cd-rom» dichiara serio. Il ragazzino è informato e aggiornatissimo. Lui il computer lo usa tutti i giorni e lo preferisce nettamente alla tv. I suoi giochi preferiti sono *SimCity 2100* e *Tomb Raider*, oltre alla *Formula 1*. Nel tempo libero sul pc scrive e impagina un suo giornalino. Utilizza programmi sofisticati come *Adobe Photoshop*. Non vede l'ora di imparare bene l'inglese per navigare in Internet. «Sa far funzionare tutto subito senza nemmeno guardare il libretto delle istruzioni» commentano con un pizzico d'invidia i suoi genitori.

Maddalena, mouse e tabelline
Quando il video serve per fare i compiti

Maddalena, 7 anni compiuti a Natale, è una bambina «multimediale e interattiva»: dipinge, inventa le favole, studia l'inglese (frequenta la seconda elementare), scia, nuota. Ha due fratelli maschi, uno più piccolo, Michele (5 anni), uno più grande, Jacopo (15 anni). Papà Riccardo fa il commercialista, mamma Silvia è un'esperta di editoria elettronica e videoimpaginazione. E per questo Maddalena ha sempre avuto un computer a disposizione. «È intuitiva, fin dall'asilo sapeva spostare e cliccare il mouse con facilità» commenta la madre. «Se penso alla fatica che ho fatto io...». Mentre i fratelli prediligono i videogiochi (dal flipper alle partite di calcio virtuale), lei utilizza il pc soprattutto per fare i compiti e per imparare.

adattato da Panorama

| Tommaso | Maddalena |

1. Ha parecchi hobby oltre al computer.
2. Usa il computer anche per giocare.
3. Per il momento non pensa a Internet.
4. Il computer è utile anche per la scuola.
5. Non ha un computer tutto suo.

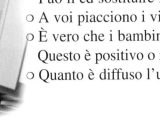

o Di quali usi del computer si parla nel testo?
o Cosa sono i CD-ROM ed i DVD e che applicazioni hanno?
  Può il cd sostituire il libro, secondo voi?
o A voi piacciono i videogiochi? Possono essere nocivi e perché?
o È vero che i bambini di oggi sono intelligenti e supertecnologici?
  Questo è positivo o negativo secondo voi? Parlate di ragazzi che conoscete.
o Quanto è diffuso l'uso del computer nel vostro paese? E nella scuola?

Un periodo ipotetico particolare

<u>ipotesi al passato</u>   ma   <u>conseguenza al presente</u>

Se tu **avessi accettato** quella proposta, <u>ora</u> **saresti** molto ricco.

Se non **fosse partito** per l'America, <u>oggi</u> **sarebbe** un impiegato.

Se ci fossimo sposati tre anni fa, <u>adesso</u> **avremmo** due figli.

14 *Completate oralmente le frasi*

1. Se avessimo venduto la nostra casa in campagna, ora...
2. Se avesse vinto al totocalcio, ora...
3. Se ci fossimo incontrati dieci anni fa, oggi...
4. Se aveste studiato quando dovevate, ora...
5. Se me ne fossi andato in quella occasione, ora...
6. Se avessi ricevuto quella tua lettera in tempo, adesso...

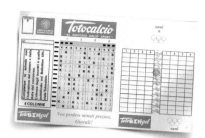

Nel *Libro degli esercizi* vedete n. 9 e 10

15 **Ascolto** *Ascoltate il brano e indicate le affermazioni veramente esistenti*

Quando **Internet** metterà davvero il mondo nelle tue mani?

1. Si organizza un corso per esperti di informatica. ☐
2. Seguiranno lezioni a distanza. ☐
3. Scopo del corso è imparare ad usare il computer. ☐
4. I partecipanti potranno studiare quando vogliono. ☐
5. Allievi e insegnanti devono incontrarsi ogni tanto. ☐
6. Una ragazza se n'è andata di casa. ☐
7. Il motivo è che i suoi non le compravano un computer. ☐
8. Lei e la sua amica erano appassionate di Internet. ☐
9. La polizia accusa gli amici che hanno conosciuto su Internet. ☐
10. La verità si nasconde probabilmente nelle loro e-mail. ☐

italia
on
line

○ Che cosa sapete di Internet? Quali sono i suoi aspetti positivi?

○ Quali sono quelli negativi, invece? Che pericoli nasconde? Scambiatevi idee.

○ Quanto è diffuso l'uso di Internet nel mondo e nel vostro paese? Secondo voi, è una moda o uno strumento?

○ Come può Internet migliorare la vita quotidiana? Che informazioni possiamo trovare per il nostro tempo libero?

○ Chi di voi ha un collegamento e per quali motivi? Cosa si deve fare per collegarsi a Internet?

<In Internet si puo' navigare.
Oppure, volare.>

Scopri tutte
le novità e i servizi
Telecom Italia Net
per ottenere il massimo
da Internet.

Usi di *ci*

Ciao, **ci** vediamo..., **ci** sentiamo... Comunque, a presto!	pronome riflessivo
È una persona strana: quando **ci** incontra, **ci** saluta sempre!!	pronome diretto (noi)
I tuoi genitori **ci** hanno portato i dolci?! Come mai?	pronome indiretto (a noi)
Stamattina sull'autobus **c'**erano forse più di cento persone!	*ci* + essere = esistere
A Roma? Sì, **ci** sono stata due volte. Stasera andiamo al cinema. Tu **ci** vieni? Alla fine **ci** siamo rimasti molto più del previsto.	in un luogo
Uscirai con Stefano?! Ma **ci** hai pensato bene? Lui ha inventato qualche storia, ma non **ci** ho creduto! Sì, è un po' lamentosa, ma ormai mi **ci** sono abituato! Parlare con il sindaco? **Ci** ho provato, ma non **ci** sono riuscito.	ad una cosa / persona
Non **ci** scherzare, dico sul serio: ho deciso di sposarmi! Con Donatella? **Ci** sto molto bene. Sì è comprato un nuovo DVD e **ci** gioca dalla mattina alla sera.	con qualcosa / qualcuno
-Hai tu il mio accendino? -No, non **ce** l'ho io. È il vicino di casa ideale: né **ci** sente, né **ci** vede tanto bene! Io veramente non **ci** capisco niente in questa storia. Noi, in questo locale, non **ci** siamo mai stati.	*ci* pleonastico
Di solito **ci** vogliono quattro ore, ma io **ce** ne metto due! Ragazzi, andate più piano; non **ce** la faccio più!	espressioni particolari

Nel *Libro degli esercizi* vedete n. 11

16 *Leggete questa inserzione pubblicitaria e rispondete alle domande (15-25 p.); cercate di non ripetere le parole del testo*

V A L O R E   B U S I N E S S   C L A S S

1. Che cosa si pubblicizza? ....
....
....

2. A chi si rivolge? ....
....

3. Che cosa è possibile vincere? ....
....

4. Come ci si può informare? ....
....
....

Ma dove cavolo sei? È da un'ora che ti aspetto!!!

Ti diamo tempo gratis

per il tuo tempo libero.

Per rendere più facile il tuo mondo, Omnitel ha creato Valore Business class, una serie di iniziative e servizi dedicati a tutti gli abbonati Business.

Omnitel ti invita a godere dei vantaggi del Programma Omnitel One.

Con ogni chiamata effettuata con il tuo abbonamento Business, accumulerai dei punti in base ai quali potrai, secondo il livello raggiunto, scegliere tra **accessori per il tuo GSM, telefoni Motorola o minuti di conversazione gratis nel week-end**.

Se hai un abbonamento Business, riceverai presto a casa tutte le informazioni per entrare nel Programma Omnitel One. Se non sei ancora un abbonato Business, Omnitel oggi ti offre un motivo in più per diventarlo.

Per ogni informazione su **Programma Omnitel One**, chiama il Numero Verde 800 - 190190.

vodafone

omnitel

Persone in grado di cambiare il mondo

www.vodafone.it

Telefonino in mano

Non guidate mai tenendo con una mano il telefonino. È una delle situazioni di pericolo creata dal «boom» dei cellulari. Il Codice lo vieta espressamente così come vieta l'uso delle cuffie per la musica. Sono cattive e pericolose abitudini. Se usate molto il telefono in auto installate l'impianto «viva voce» così potrete continuare a guidare con due mani quando parlate. Altrimenti, se squilla il telefonino, accostatevi al lato destro della strada senza creare pericoli, fermatevi e poi rispondete. Meglio far attendere chi chiama che rischiare un incidente.

17 _Leggete il testo e fatene un breve riassunto orale_

○ Siete d'accordo con quanto dice il testo e perché?

○ Cosa vuol dire "boom"? Ce n'è stato uno anche da voi?

○ Potete spiegare che cos'è il "viva voce"?

○ Quali sono i vantaggi di un telefonino?

○ Quanto costa più o meno usarlo e quanto costa l'apparecchio?

○ Che problemi può provocare oltre a quelli citati nel testo? Scambiatevi informazioni.

Usi di _ne_

-Quante e-mail ricevi al giorno? -**Ne** ricevo parecchie.
-Quanti anni ha, signorina? -**Ne** ho ventitré.
-Coca cola? -No, grazie, oggi **ne** ho bevuta tantissima.
Mi piacciono molto i libri di Moravia; **ne** ho letti quattro o cinque.

> _ne_ partitivo

Di matrimonio? Figurati! Marco non **ne** vuole sentire parlare!
I suoi genitori sono sempre a casa nostra, ma io non **ne** posso più!
Gli ho parlato di un prestito, ma non **ne** voleva sapere!
Bella la fidanzata di Beppe; che **ne** pensi?
È un'insegnante molto nervosa: gli alunni **ne** hanno paura!
Ti volevo avvisare del mio ritardo, ma me **ne** sono dimenticato!!
Quando l'ho conosciuto me **ne** sono innamorata; ora però **ne** sono stufa!
Hanno speso tanti milioni per capire che non **ne** valeva la pena!

> di qualcosa / qualcuno

Quando mia sorella si prepara, entra in bagno e **ne** esce due ore dopo!
Vatte**ne**! Non ti voglio più vedere! ...Per i prossimi trenta minuti!
Se **n'**è andato senza dire nemmeno una parola.
Mi preoccupo: mio marito è andato al bar 10 anni fa e non **ne** è ancora tornato!!

> da un luogo

18 _Completate le frasi con_ ci _o_ ne

1. Secondo me, prima di sposarsi .... si deve pensare bene. Prima che sia troppo tardi!
2. Io sono sicuro che vincerà l'Inter: .... scommetti?
3. Non voglio scommettere perché io non .... sono sicuro.
4. Non vi piace questo libro? Purtroppo .... sono l'autore!
5. Ah, l'amore: a tuo nonno piaceva parlar............. . Solo!
6. .... ha parlato della sua decisione di andare in pensione.

Nel _Libro degli esercizi_ vedete n. 12 e 13

19 *Prima completate il testo con le parole date; poi rispondete alle domande. Non è necessario conoscere ogni parola*

pronto / senza / a / nella / così / anzi / da / durante / ciò / a / meno / ad

COME NON USARE IL TELEFONINO CELLULARE

È facile ironizzare sui possessori di telefonino cellulare. Occorre vedere .... quale delle seguenti categorie appartengono. Prima vengono i portatori di handicap, costretti ad essere costantemente in contatto col medico o col .... soccorso; sono fortunati che la tecnologia ha messo .... loro disposizione tale benefico strumento. Secondi vengono coloro che, per gravi doveri professionali, devono accorrere a ogni emergenza (capitani dei pompieri, medici, "trapiantatori" di organi in attesa di cadavere fresco). Per loro il telefonino è una dura necessità, vissuta con pochissima gioia. Terzi, gli adulteri. Essi hanno, per la prima volta .... storia, la possibilità di ricevere messaggi dal loro partner segreto .... che i membri della famiglia possano intercettare la telefonata. Basta che il numero lo conoscano solo lui e lei (o lui e lui, lei e lei: mi sfuggono altre combinazioni possibili.) Tutte e tre le categorie elencate hanno diritto al nostro rispetto: per le prime due siamo disposti ad essere disturbati al ristorante o .... una cerimonia funebre, e gli adulteri di solito sono molto discreti.

Seguono due altre categorie che sono a rischio; i primi sono persone che non possono andare .... nessuna parte se non hanno la possibilità di chiacchierare con amici e parenti che hanno appena lasciato. È difficile dire loro perché non dovrebbero farlo: se non possono fare a .... di discutere e godere i loro momenti di solitudine, di interessarsi di .... che stanno facendo in quel momento, ebbene, il problema è di competenza dello psicologo. Ci danno noia, ma dobbiamo comprendere la loro terribile povertà interiore, ringraziare di non essere loro e perdonare.

L'ultima categoria sono persone che vogliono mostrare in pubblico di essere molto ricercate: le conversazioni che siamo obbligati .... ascoltare in aeroporti, ristoranti o treni, riguardano sempre transazioni monetarie, mancati arrivi di merci e altre cose che fanno molto Rockefeller. Questi non sanno che Rockefeller non ha bisogno del telefonino, perché ha una segreteria .... vasta ed efficiente che al massimo, se proprio gli sta morendo il nonno, arriva l'autista e gli sussurra qualche cosa all'orecchio. L'uomo di potere è colui che non è obbligato a rispondere a ogni chiamata, ... si fa negare. Chi invece esibisce il telefonino come simbolo di potere, sta dichiarando la sua disperata condizione di dipendenza...

ridotto e adattato da un articolo di Umberto Eco su *L'Espresso*

1. Secondo Eco, è giusto che abbiano un cellulare:
- ❏ i professionisti
- ❏ gli handicappati
- ❏ i donatori di organi
- ❏ i pompieri

2. Nei confronti di chi ha bisogno di parlare continuamente al cellulare dobbiamo essere:
- ❏ tolleranti
- ❏ indifferenti
- ❏ severi
- ❏ grati

3. Secondo l'autore, gli uomini potenti:

❑ hanno i telefonini migliori
❑ hanno molte segretarie
❑ possono essere 'assenti' se vogliono
❑ dipendono dal loro autista

4. Chi ama esibirsi con il telefonino in mano è:

❑ ridicolo
❑ veramente potente
❑ poco indipendente
❑ bugiardo

○ Siete completamente d'accordo con l'autore e perché? Può darsi che esageri un po'?
○ Vi siete mai comportati come descritto nel testo? Come reagite davanti a tal comportamento?
○ Ormai credete che il telefonino sia uno status symbol?

20 Ascolto *(Libro degli esercizi, p. 93)*

21 Situazioni

1. Parli con tuo/a padre/madre a cui spieghi perché è indispensabile un computer a casa, oppure all'impresa famigliare (negozio, farmacia ecc.). Lui/lei rimane un/a nemico/a dei computer e della tecnologia in genere, che causa più problemi di quanti risolve e, in più, costa parecchio. Il vostro dialogo è animato, ma ognuno ha i suoi argomenti.

2. Parli con un amico, maniaco di Internet, che cerca di convincerti ad abbonarti anche tu. Anche se ti spiega i suoi vantaggi e risponde a tutte le tue domande, tu continui a sostenere che si tratta di una moda, di una perdita di tempo. In più, non sapresti usarlo.

22 Scriviamo

1. Scrivi una lettera (che spedisci via posta elettronica) ad un nuovo amico italiano nella quale:
   ○ parli dei tuoi hobby, di cui i computer e Internet sono i più recenti;
   ○ chiedi informazioni sui siti italiani (le pagine web) che ti potrebbero interessare e su come passa lui il tempo libero (80-120 p.).

2. La tecnologia, come poi tante cose, ha lati sia positivi che negativi. Commenta questa frase (120-180 p.)

Fate il test finale dell'unità

Inventori italiani

Se la tecnologia ci circonda, è in parte merito anche del genio di alcuni scienziati italiani. Vediamo in breve chi sono stati e qual è stato il loro contributo al progresso dell'umanità:

Galileo con un suo allievo

Galileo Galilei (1564-1642) Fu il fondatore del metodo scientifico sperimentale. Compì importantissimi studi ed esperimenti di meccanica, costruì il termoscopio, ideò e costruì il compasso geometrico e militare. Perfezionò il telescopio con il quale scoprì i satelliti di Giove e le macchie solari, la cui osservazione gli provocò problemi di vista. In seguito, inventò il microscopio.

Le sue scoperte astronomiche lo portarono a sostenere la teoria di Copernico, secondo la quale era la Terra a girare intorno al Sole e non il contrario. Tale teoria contraddiceva quella della Chiesa che voleva la Terra al centro dell' universo. Davanti alle torture dell'Inquisizione e alla condanna al carcere, l'ormai vecchio Galileo preferì rinunciare alla teoria copernicana. In seguito, però, pronunciò la famosa frase, riferendosi alla terra: "Eppur si muove!".

Alessandro Volta (1745-1827) È dal suo nome che deriva il volt, l'unità di misura dell'elettricità. Nel 1779, quando ottenne la cattedra di fisica sperimentale all'Università di Pavia, era già conosciuto per l'invenzione dell'elettroforo, strumento per accumulare cariche elettriche. Nel 1800, dopo vari esperimenti, inventò quello che oggi è noto come la batteria elettrica, un'invenzione che aprì la via all'uso pratico dell'elettricità.

Antonio Meucci (1808-1889) Nel 1863 riuscì a costruire un apparecchio telefonico, usando la stessa tecnica di trasmissione della voce che si usa ancora oggi. Purtroppo, non aveva i soldi né per brevettare, né per produrre la sua invenzione, come fece invece Graham Bell, tredici anni dopo, con un apparecchio simile. In seguito, Meucci perse la causa contro Bell, che rimase nella storia come l'inventore del telefono.

Guglielmo Marconi (1874-1937) Intuì per primo la possibilità di utilizzare le onde elettromagnetiche per trasmettere messaggi a distanza senza l'uso di fili. A questo scopo perfezionò l'apparecchio trasmittente e quello ricevente con l'uso di un'antenna. Nel 1896 brevettò la sua invenzione e l'anno successivo riuscì a trasmettere segnali a una nave a oltre 15 km di distanza. Negli anni successivi realizzò altri spettacolari esperimenti, tra cui il primo collegamento radiotelegrafico attraverso l'Atlantico. Nel 1909 ottenne il premio Nobel per la fisica. In seguito si dedicò al perfezionamento della radiotelegrafia e della radio. Con le sue invenzioni, Guglielmo Marconi cambiò praticamente il mondo ed è perciò giustamente considerato il "padre" delle telecomunicazioni.

Marconi davanti alla sua invenzione

Per informazioni su **Leonardo Da Vinci**, considerato forse il più grande genio di tutti i tempi, date un'occhiata a pagina 122.

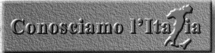

1. Galileo Galilei

❑ a. influenzò in modo decisivo la scienza
❑ b. era solo inventore
❑ c. non era d'accordo con Copernico
❑ d. rinunciò definitivamente alla sua teoria

2. Sia A. Volta che A. Meucci

❑ a. ottennero il riconoscimento che meritavano
❑ b. divennero ricchi
❑ c. fecero invenzioni pratiche
❑ d. erano docenti universitari

3. Guglielmo Marconi inventò

❑ a. il telefonino cellulare
❑ b. la televisione
❑ c. il telegrafo senza fili e la radio
❑ d. l'antenna

Quale dei quattro scienziati ritenete il più importante e perché? Scambiatevi idee.

Italia: un mondo intero anche su Internet

Attraverso questo breve elenco di siti italiani che vi proponiamo di
seguito potete venire a contatto diretto con la realtà italiana:

motori di ricerca e cataloghi di siti per argomento:
www.arianna.it   www.yahoo.it   www.lycos.it   www.google.it   www.virgilio.it
quotidiani:
www.corriere.it   www.repubblica.it   www.tolomeo.it/edicola/quotidiani_it.html
riviste:
www.espressonline.it   www.panorama.it   www.tolomeo.it/edicola/periodici_it.html
televisione e radio:
www.rai.it   www.mediasetonline.com   www.televisione.it
cinema:
www.cinecitta.it   www.cinematografo.it   www.anica.it
vacanze e alberghi:
www.vacanzeonline.it   www.vacanze.net   www.alberghitalia.com
newsgroups e chat:
http://newsgroup.virgilio.it   www.tin.it/chat   www.news.iol.it
musica:
musicaitaliana.com   www.radioitalia.it
cucina:
www.cucina.it   www.cucinaitaliana.it

Nelle altre unità troverete siti relativi ogni
volta al loro argomento.

Furto agli Uffizi

*Valeria informa Giacomo di un furto alla Galleria degli Uffizi a Firenze; ascoltate
il loro dialogo senza preoccuparvi di eventuali parole sconosciute.*

1 *Ascoltate di nuovo il brano e rispondete alle domande*

1. Non si sa ancora quante opere sono state rubate.
2. I ladri hanno agito in mezzo alla gente.
3. Le opere rubate non possono essere vendute facilmente.
4. La polizia ha arrestato alcune delle guardie.

vero	falso

La Galleria degli Uffizi vista dall'Arno

Valeria: Hai sentito del furto agli Uffizi?

Giacomo: Agli Uffizi?! Ma sul serio?!

Valeria: Sì, una cosa incredibile! Sono state rubate opere di inestimabile valore: un dipinto di Tiziano, uno di Caravaggio e uno schizzo di Leonardo!

Giacomo: Dio mio! Ma come cavolo hanno fatto a rubare agli Uffizi che è considerata una delle gallerie più sicure del mondo?

Valeria: È veramente un mistero. A quanto pare, il furto è avvenuto ieri pomeriggio.

Giacomo: Ma come è stato possibile, dal momento che la Galleria viene visitata da migliaia di persone ed è piena tutto il giorno? I ladri avranno usato forse qualche apparecchio sofisticato per neutralizzare i sistemi di sicurezza? In un film poliziesco era successo proprio così, sai.

Valeria: Mah, non penso. Pare che abbiano approfittato della folla, non sono stati notati dalle guardie e poi chi si è visto si è visto. Il furto è stato scoperto solo dopo la chiusura.

Giacomo: Immagino che queste opere saranno vendute a prezzi altissimi.

Valeria: Per fortuna, come è stato annunciato, non possono essere vendute perché sono troppo note.

Giacomo: Sì, ma possono sempre essere comprate da qualche collezionista privato. Ricordo un film in cui c'era un maniaco che faceva rubare le più grandi opere d'arte per poterle ammirare da solo. Speriamo, comunque, che saranno prese delle misure e che qualcuno finalmente paghi!!!

Valeria: Il direttore degli Uffizi è già stato messo in aspettativa, mentre le guardie vengono interrogate dai Carabinieri. Se vuoi la mia opinione, qualcuno di loro è coinvolto nel furto.

Giacomo: Ma non c'è dubbio che sia così: l'ho visto anche in un film!

Caravaggio, Conversione di San Paolo

2 *Leggete il brano ad alta voce in modo quanto più "italiano" possibile, imitando magari la pronuncia e l'intonazione dei parlanti della cassetta; insomma, recitate leggendo*

3 *In base a quanto avete letto rispondete prima oralmente e poi per iscritto (15-20 p.) alle domande*

1. Che cosa è stato rubato? ....
....
2. Com'è avvenuto il furto? (20-25p.) ....
....
3. Cosa credete ne faranno i ladri della refurtiva? ....
4. Quali misure sono state prese? ....
....

4 *Vediamo ora il telegiornale che annuncia il furto; completatelo con le parole date a fianco*

giornalista: Prima notizia del nostro telegiornale, il furto avvenuto ieri alla Galleria degli Uffizi, a Firenze: .... preziosissime opere di Tiziano, di Caravaggio e di Leonardo Da Vinci. Ci colleghiamo ora con il nostro inviato, Mauro Giornalini. Buongiorno, Mauro.	***sono stati rubati***
inviato: Buongiorno, Lilli. Come hai detto, ... due dipinti e uno schizzo di inestimabile valore; e pensare che quella degli Uffizi .... una delle gallerie più sicure del mondo, che ogni giorno .... da migliaia di persone.	***vengono interrogate*** ***sono state rubate***
giornalista: Mauro, i ladri .... dalle telecamere?	***è considerata***
inviato: Probabilmente no. E purtroppo non .... neanche dalle guardie. Il furto è stato scoperto solo dopo la chiusura del museo. Come ha annunciato stamattina il Ministro per i Beni Culturali, il direttore della Galleria .... in aspettativa. D'altra parte le guardie .... dai Carabinieri: probabilmente uno di loro è coinvolto nel furto.	***è stato messo*** ***sono stati notati*** ***sono stati registrati***
giornalista: Ma ci sono già informazioni in proposito?	
inviato: No, ma come ha detto il commissario dei Carabinieri, nei film polizieschi succede sempre così!!!	***viene visitata***

5 *In base a quanto avete letto scrivete un breve riassunto (60-80 p.) del dialogo introduttivo*

La Forma Passiva

Forma attiva:	I Carabinieri	interrogano	le guardie.

Forma passiva:	**Le guardie**	**sono (vengono) interrogate**	**dai Carabinieri.**

<u>attiva</u>	<u>passiva</u>
Il pittore **dipinge** un quadro.	Un quadro **è / viene dipinto** dal pittore.
Morandi **ha creato** molte opere.	Molte opere **sono state create** da Morandi.
Il padre **portava** i figli allo zoo.	I figli **erano / venivano portati** allo zoo dal padre.
Marco mi **aveva spiegato** tutto.	Tutto mi **era stato spiegato** da Marco.
Luca stesso **avviserà** tutti.	Tutti **saranno / verranno avvisati** dallo stesso Luca.
Maria **avrà preso** la bici.	La bici **sarà stata presa** da Maria.
Leonardo **dipinse** *La Gioconda*.	*La Gioconda* **fu / venne dipinta** da Leonardo.
Molti **leggerebbero** l'articolo.	L'articolo **sarebbe / verrebbe letto** da molti.
Ugo **avrebbe scritto** la lettera.	La lettera **sarebbe stata scritta** da Ugo.
Spero che la casa la **compri** tu.	Spero che la casa **sia / venga comprata** da te.
Credo che Ida **abbia invitato** Pino.	Credo che Pino **sia stato invitato** da Ida.
Speravo che tu **comprassi** la casa.	Speravo che la casa **fosse / venisse comprata** da te.
Credevo che lei **avesse invitato** lui.	Credevo che lui **fosse stato invitato** da lei.

Osservazioni:
1. Come potete notare nei tempi semplici possiamo usare sia *essere* che *venire*. Nei tempi composti, invece, solo il verbo *essere*.
2. La forma passiva è sempre composta da una parola in più rispetto a quella attiva.

6 *Abbinate le due colonne*

1. I quadri **sono stati**   **organizzata** a Roma.
2. Il nuovo museo **sarà**   **apprezzate**, se fossero comprensibili.
3. Un'importante mostra d'arte **viene**   **colto** sul fatto.
4. Il ladro **è stato**   **comprati** da un collezionista.
5. Sperava che il suo libro **venisse**   **inaugurato** domenica prossima.
6. Le sue opere **sarebbero** più   **letto** da tutti.

7 *Completate oralmente le frasi mettendo il verbo tra parentesi alla forma passiva*

1. La notizia (*pubblicare*) ieri su tutti i giornali.
2. I detenuti (*trasferire*) domani in un carcere di massima sicurezza.
3. Questi maglioni (*fabbricare*) in Italia.
4. Non sapevo che l'appuntamento di oggi (*annullare*).
5. Un'efficiente auto elettrica (*comprare*) da tutti, se costasse poco.
6. *'O sole mio* (*cantare*) anche da Elvis Presley, con il titolo *It's now or never*.

Nel *Libro degli esercizi* vedete n. 1 - 6

8 Asserire qualcosa

Lei che idea ha delle opere di Guttuso?

Era **davvero** un grandissimo artista: mi piacciono molto le sue sculture!

Ah sì? Peccato che fosse solo pittore!!!

Ma questo quadro ti piace tanto?

Non c'è dubbio che si tratta di un'opera geniale.

Giorgio Morandi. Natura morta

Ma **veramente** vuoi sposare Silvia? È bruttina e maleducata.

Ti posso garantire però che ha qualcosa di straordinario: un padre ricchissimo!

Sul serio, vuoi comprare questo quadro di Morandi? Ti costerà un occhio della testa!

Non scherzo, lo comprerò, costi quel che costi. In fin dei conti è un falso!

Ti assicuro mio caro che farò il possibile per tuo figlio!

Grazie, Onorevole! E Lei può sempre contare sui nostri voti!

9 ▷ Sei **A**: *chiedi a B (formulando le domande a modo tuo) perché intende*:

Role-play
- ◆ comprare una villa in campagna
- ◆ rompere con il/la suo/a ragazzo/a
- ◆ cambiare lavoro
- ◆ investire tutti i suoi risparmi in opere d'arte
- ◆ studiare il cinese
- ◆ vendere la sua collezione di musica italiana
- ◆ smettere di fumare
- ◆ cominciare una dieta severissima

▷ Sei **B**: *usando anche le espressioni di sopra, rispondi a quello che ti chiede* A

La forma passiva con dovere e potere

Tu dovrai consegnare personalmente tutti gli inviti.
Tutti gli inviti **dovranno essere consegnati** da te personalmente.

Nessuno può comprare una statua di Michelangelo.
Una statua di Michelangelo **non può essere comprata** da nessuno.

10 *Completate oralmente le frasi*

1. Mi hanno avvisato che i nostri bagagli non (*potere spedire*) oggi.
2. Mi raccomando, signorina, il fax (*dovere inviare*) al più presto.
3. Questo capitolo non (*dovere spiegare*) più: è troppo facile.
4. Secondo il direttore, i contratti (*potere firmare*) anche ieri.

Nel *Libro degli esercizi* vedete n. 7 e 8

11 Michelangelo Buonarroti

Uno dei più grandi artisti di tutti i tempi. Nasce a Caprese nel 1475. Dopo le prime opere, va a Roma dove nel 1500 scolpisce la *Pietà* in San Pietro in Vaticano (p. 129). Tornato a Firenze, dipinge *La Sacra famiglia* (Uffizi) e scolpisce il *David* (p. 34), allora collocato in Piazza della Signoria (p. 41) (oggi si trova nell'Accademia). Nel 1508 Michelangelo firma un contratto per affrescare la volta della Cappella Sistina, che termina nel 1512 ormai con problemi alla vista, poiché ha dovuto lavorare appeso al soffitto guardando sempre in alto. L'anno seguente crea il *Mosè* in San Pietro in Vincoli.

Nel 1534, dopo alcuni anni a Firenze, torna a Roma dove fino al 1541 affresca *il Giudizio Universale* nella stessa Cappella Sistina. Dopo si dedica soprattutto all'architettura, con la risistemazione di Piazza del Campidoglio, oggi sede del Comune di Roma, e l'edificazione della cupola di San Pietro.

In età avanzata riprende un tema a lui molto caro con la *Pietà Rondanini* e *la Pietà Bandini*. Muore nel 1564 a Roma.

A fianco la *Cappella Sistina* dopo il suo ultimo restauro. Insieme agli affreschi del *Giudizio Universale* rappresenta forse il massimo capolavoro artistico di ogni tempo. Tra tante figure e storie dell'Antico Testamento in mezzo si può osservare *Il Peccato originale* e un po' sotto *La Creazione dell'Uomo*.

Leggete i testi e le didascalie e delle seguenti affermazioni indicate quelle veramente esistenti

❏ Il talento di Michelangelo fu riconosciuto molto presto.
❏ Il lavoro nella Cappella Sistina gli provocò problemi di salute.
❏ Scolpì più statue con lo stesso tema.
❏ *David* è uno dei suoi dipinti più celebri.
❏ Concluse gli affreschi della Cappella Sistina in circa vent'anni.
❏ Fu l'architetto della cupola di San Pietro.
❏ I suoi soggetti erano di solito religiosi.
❏ L'ultimo restauro della Cappella Sistina è stato disastroso.

Cristo Giudice al centro dell'affresco del *Giudizio Universale* durante il restauro (durato molti anni e costato parecchi milioni di euro) che ha fatto riemergere gli autentici e vivaci colori usati dal grande Maestro quasi cinque secoli fa. L'opera racconta la fine del mondo e la condanna dei peccatori che si trovano intorno a Dio.

I pronomi diretti nella forma passiva

Questa trasmissione **la** guardano tutti. ⮂ Questa trasmissione è guardata da tutti.

Non è un segreto; me **l'**ha detto Fabio. ⮂ Mi è stato detto da Fabio.

Bei ragazzi: ce **li** ha presentati Vanna. ⮂ Ci sono stati presentati da Vanna.

Queste rose ce **le** ha offerte Dino. ⮂ Queste rose ci sono state offerte da Dino.

Nel *Libro degli esercizi* vedete n. 9 e 10

12 Ascolto *Ascoltate il brano due o più volte e rispondete alle domande*

1. La Fontana dei Fiumi è situata al centro di ....

2. Ogni fiume rappresenta ....

3. I quattro fiumi sono ....

4. La Fontana della Barcaccia si trova in Piazza ....

5. La Scalinata porta alla Chiesa della ....

6. La .... fu costruita nel 1735 su progetto di Nicola Salvi.

7. Al suo centro domina la statua di ...., Dio ....

8. I turisti ci gettano una moneta per ....

○ Quante fontane si trovano in Piazza Navona? Perché la piazza ha questa forma?
○ Che cosa ha in comune con Piazza della Barcaccia?
○ Che cosa è raffigurato nella Fontana di Trevi?
○ Di tutte le opere che abbiamo visto finora quale vi ha più colpito e perché?

Una forma passiva particolare

Questo problema **va risolto** con calma. = *deve essere risolto*
La trasmissione **andava vista** a tutti i costi. = *doveva essere vista*
I regali **vanno** sempre **accettati**. = *devono essere accettati*
Le persone anziane **vanno rispettate**. = *devono essere rispettate*

13 <u>Sostituite oralmente i verbi guardando la scheda di sopra</u>

1. Secondo l'autore, il libro *doveva essere letto* da tutti.
2. Le merci *devono essere spedite* quanto prima.
3. L'insegnante ha detto che la forma passiva *doveva essere* studiata.
4. Un segreto *non deve essere rivelato* a nessuno.

Nel *Libro degli esercizi* vedete n. 11

14 <u>Completate il testo scegliendo la parola giusta tra quelle date</u>

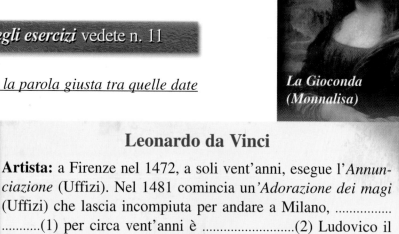

La Gioconda
(Monnalisa)

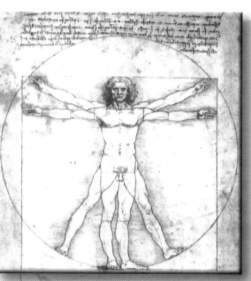

Le proporzioni del corpo umano

Leonardo da Vinci

Artista: a Firenze nel 1472, a soli vent'anni, esegue l'*Annunciazione* (Uffizi). Nel 1481 comincia un'*Adorazione dei magi* (Uffizi) che lascia incompiuta per andare a Milano, ...
..........(1) per circa vent'anni è ....(2) Ludovico il Moro come pittore, scultore, architetto, costumista, regista e scenografo. A questo periodo appartengono *La Vergine delle Rocce* (Louvre) e l'affresco del *Cenacolo* o *Ultima cena* in Santa Maria delle Grazie.
Nel 1501 torna ....(3) a Firenze dove dipinge *La Gioconda* (Louvre), ...(4) sorriso enigmatico esistono tante teorie. Passa un secondo periodo fertile a Milano e muore in Francia nel 1517, chiamato dal re Francesco I, suo grande ammiratore. Nei suoi dipinti applica la tecnica dello sfumato, cioè del morbidissimo chiaroscuro, frutto della sua sperimentazione.
Scienziato: ....(5) anatomia, astronomia, idraulica, fisica, matematica e ottica. Le sue invenzioni e i suoi studi ....(6) Leonardo forse il più grande genio di tutti i tempi. Disegnò tantissime cose (elicotteri, carri armati, cannoni) tutte rivoluzionarie per quell'epoca. Lasciò oltre 7.000 manoscritti con schizzi, disegni, commenti, studi, ...
................(7)famosissimi il *Codice Atlantico*, il *Codice Arundel* e quello *sul volo degli uccelli* (forse per questo l'aeroporto di Roma si chiama appunto *Leonardo Da Vinci*).

L'ultima cena (o *Cenacolo*): in questa meravigliosa opera chiave del Rinascimento, Leonardo cercò di interpretare ....(8) moderna un tema più volte affrontato allora. Così diede importanza alle reazioni emotive degli Apostoli quando Cristo gli annuncia che qualcuno di loro lo tradirà.

Le cattive condizioni dell'opera sono dovute all'umidità, all'inquinamento atmosferico ed a restauri falliti.

1. a. lì	b. dove	c. sebbene
2. a. insieme a	b. nelle mani di	c. al servizio di
3. a. di nuovo	b. sempre	c. anche
4. a. sul cui	b. sul quale	c. su sui
5. a. occupò di	b. si occupò di	c. ne occupò di
6. a. lo fanno	b. fanno di	c. ne fanno
7. a. tra i	b. dei	c. tra cui
8. a. ad arte	b. in maniera	c. con maniera

○ Quali sono le opere più famose di Da Vinci? Cosa ne pensate? Scambiatevi idee.
○ Conoscete qualche teoria sul sorriso di Monnalisa? Parlatene.
○ Fate un breve confronto tra Michelangelo e Leonardo.

15 **Quiz:** *Divisi in coppie osservate attentamente questi slogan pubblicitari; a quale prodotto si riferisce ognuno? Cercate di spiegarli, scambiandovi idee*

Soluzione del quiz:

La personalità non **si eredita;** un orologio forse.
Il design non **si paga;** il divano senz'altro.
A letto **si fanno** molte cose strane; ma c'è anche chi si riposa...
Con i movimenti giusti **si ottengono** risultati incredibili.

si passivante

L'espresso è bevuto a tutte le ore. ⇔   L'espresso **si beve** a tutte le ore.
La pasta viene mangiata al dente. ⇔   La pasta **si mangia** al dente.
Non sono spesi abbastanza soldi per libri. ⇔   Non **si spendono** abbastanza soldi per libri.
In estate vengono spedite molte cartoline ⇔   In estate **si spediscono** molte cartoline.

Il *si passivante* è una forma passiva impersonale ed è spesso preferibile quando non sappiamo chi fa l'azione. Il verbo *(si spediscono)* ha sempre un soggetto (cartoline) con cui concorda.

16 *Formate frasi orali con il si passivante*

1. La lingua non *(imparare)* studiando solo la grammatica.
2. Durante una lite spesso *(dire)* cose che possono ferire.
3. Il nuovo progetto *(presentare)* fra due mesi.
4. Scherzi come i suoi non *(fare)*: qualcuno potrebbe offendersi.
5. Purtroppo *(trasmettere)* scene di violenza anche durante programmi per bambini.
6. Nelle strade italiane non *(vedere)* spesso macchine giapponesi.

il si passivante con dovere e potere

La verdura **si dovrebbe mangiare** anche tre volte al giorno.
Con le nuove misure **si devono licenziare** migliaia di operai.
Dove **si può bere** un buon caffè da queste parti?
Ormai molti prodotti **si possono comprare** per corrispondenza.

17 *Come sopra*

1. Una partita a scacchi *(potere vincere)* solo con molta concentrazione.
2. Qualcosa *(dovere fare)*: questa situazione non può andare avanti.
3. Quando si firma un contratto *(dovere leggere)* attentamente tutti i dettagli.
4. Con un'antenna parabolica *(potere ricevere)* parecchi canali italiani.
5. Alcune cose *(dovere chiarire)* fin dall'inizio: io continuerò ad uscire con i miei amici.
6. Sono proprio dei testardi: non *(potere convincere)* in nessun modo.

Nel *Libro degli esercizi* vedete n. 12 - 14

18 Proverbi italiani

Ovviamente ce ne sono tantissimi altri (alcuni li abbiamo già visti nella 2a unità). In coppia leggeteli e cercate di capire il loro significato. Poi rispondete alle domande

Il buon giorno si vede dal mattino.

Una rondine non fa primavera.

Tra il dire e il fare c'è di mezzo il mare.

Troppi galli a cantar non fa mai giorno.

Quando il gatto non c'è i topi ballano.

Peccato confessato è mezzo perdonato.

L'abito non fa il monaco.

Ogni lasciata è persa.

Non tutto il male vien per nuocere.

Tra moglie e marito non mettere il dito.

L'appetito vien mangiando.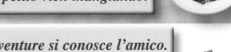

Nelle sventure si conosce l'amico.

Le bugie hanno le gambe corte.

I panni sporchi si lavano in famiglia.

Patti chiari amicizia lunga.

Moglie e buoi dei paesi tuoi.

Vale più la pratica che la grammatica.

Lontano dagli occhi lontano dal cuore.

Ogni medaglia ha il suo rovescio.

Meglio tardi che mai.

1. Cercate di spiegare in italiano uno per uno i proverbi.
2. Quali trovate più saggi e perché? Ognuno esprima le sue preferenze.
3. Con quali non siete d'accordo? Spiegate.
4. Quale di questi proverbi avete pronunciato ultimamente? Volete raccontare in quale occasione?
5. Di nuovo in coppia cercate di tradurre in italiano due o tre noti proverbi del vostro paese. Poi leggeteli ai compagni; vediamo se avete pensato agli stessi e se le vostre traduzioni si somigliano.
6. **Scrivete** una composizione narrativa (140-180 p.) che finisca o che cominci con uno dei proverbi di sopra. Alternativamente potete scrivere due brevi racconti (80-100 p. ognuno) oppure quattro paragrafi (40-50 p.).

FRASE FATTA
capo ha

DIZIONARIO DEI
MODI DI DIRE,
PROVERBI
E LOCUZIONI
di Giuseppe Pittàno

il *si passivante* nei tempi composti

Si è costruito un nuovo parcheggio proprio accanto alla stazione del metrò.
Con questo libro la lingua italiana **si è imparata** in modo piacevole.
I risultati **si sono ottenuti** con duro lavoro e molti sacrifici.
Per arrivare all'accordo **si sono superate** tante difficoltà.

Nel *Libro degli esercizi* vedete n. 15

19 *Leggete il racconto e rispondete alle domande; non è necessario capire ogni parola*

Alberto Moravia

LADRI IN CHIESA

Che fa il lupo quando la lupa e i lupetti hanno fame e stanno a pancia vuota, lamentandosi e litigando tra loro? Io dico che il lupo va in cerca di roba da mangiare e magari, dalla disperazione, scende al paese ed entra in una casa. E i contadini che l'ammazzano hanno ragione di ammazzarlo; ma anche lui ha ragione di entrare in casa loro e di morderli. Quell'inverno io ero come il lupo e, anzi, proprio come un lupo, non abitavo in una casa ma in una grotta, laggiù, sotto Monte Mario. La sera quando ci tornavo e vedevo mia moglie sul materasso che mi guardava, e il bambino che teneva al petto che mi guardava, e i due bambini più grandi che giocavano in terra che mi guardavano, e leggevo in quegli otto occhi la stessa espressione affamata, pensavo: "Uno di questi giorni se non gli porto da mangiare, vuoi vedere che mi mordono?"

Fu Puliti che mi suggerì l'idea della chiesa e mi mise una pulce nell'orecchio, sebbene, poi, non ci pensassi e non ne parlassi più. Ma le idee, si sa, sono come le pulci e, quando meno te lo aspetti, ti danno un morso e ti fanno saltare in aria. Così, una di quelle sere ne parlai a mia moglie. Ora bisogna sapere che mia moglie è religiosa e al paese, si può dire, stava più in chiesa che in casa. Disse subito: "Che, sei diventato matto?" Io le risposi: "Questo non è un furto... la roba, nella chiesa perché ci sta? Per fare il bene... Se noi prendiamo qualche cosa, che facciamo? Facciamo il bene... A chi, infatti, si dovrebbe fare il bene se non a noi che abbiamo bisogno? Non è scritto forse che bisogna dare da mangiare agli affamati?" "Sì." "Siamo o non siamo affamati?" "Sì." "Ebbene in questo modo facciamo un'opera buona." Insomma tanto dissi, sempre insistendo sulla religione che era, come sapevo, il suo punto debole, che la convinsi.

Il giorno fissato lasciammo i bambini a Puliti e scendemmo con il tram a Roma. Proprio come due lupi affamati che scendono dal monte al paese. Avevamo scelto una chiesa antica, dalle parti del Corso, in una traversa. Entrammo e ci nascondemmo dietro l'altare. C'erano due o tre scalini, dietro la statua, e sedemmo su quelli. A un'ora tarda il prete prese a girare per la chiesa mormorando: "Si chiude;" ma dietro quell'altare non ci venne e si limitò a spegnere le lampadine e a chiudere le porte...

ridotto e adattato dal libro Racconti romani *di Alberto Moravia*

- ○ Fate un breve riassunto del testo. Inoltre, date un titolo a ogni paragrafo.
- ○ In che condizioni vive la famiglia? Da quali espressioni si capisce?
- ○ Come riesce il protagonista a convincere sua moglie? Quali sono le sue parole chiave?
- ○ Cosa pensate della storia e dello stile di Moravia? Scambiatevi idee.
- ○ **Scriviamo:** completate il racconto (120-180 p.); vediamo chi avrà l'idea più originale!

Dubbi sulla forma passiva

☛ Hanno forma passiva solo i verbi transitivi, quelli cioè che hanno un oggetto. Ma non sempre la forma passiva ha senso: *Ogni mattina un caffè è bevuto da me.* ecc.

☛ Preferiamo la forma passiva quando non sappiamo o non ci interessa da chi è fatta l'azione: *Le opere sono state rubate ieri sera. / La legge è stata approvata.*

☛ Il verbo *venire* si usa solo nei tempi semplici e spesso sottolinea l'aspetto abituale dell'azione: *Ogni giorno venivano cancellati molti voli.*

☛ Il verbo *andare* dà un senso di necessità: *Il film va visto = deve essere visto = si deve vedere* (*è da vedere*)

☛ La forma passiva dei verbi modali (*dovere - potere*) si forma con l'infinito del verbo *essere*: *La casa deve essere venduta al più presto.*

☛ La forma perifrastica (*Sto scrivendo una lettera*) non si può usare alla forma passiva

☛ La differenza tra il *si impersonale* e il *si passivante* sta nel fatto che il verbo del secondo ha un soggetto con cui concorda. Osservate:
In Italia si mangia molto bene. (impersonale: senza soggetto)
In Italia si mangia molta mozzarella. (passivante: con soggetto)
Praticamente bisogna stare attenti solo al plurale: *Si mangiano vari tipi di pasta.*

Nel *Libro degli esercizi* vedete n. 16 - 18

---

20 **Ascolto** *Ascoltate il brano e rispondete alle domande (Libro degli esercizi, p. 104)*

21 **Situazioni**

1. Qualche mese fa hai regalato un costoso quadro d'arte moderna ad un amico. Quando lo vai a trovare di nuovo, noti con delusione che il tuo quadro non è appeso e che le pareti di casa sua sono ancora piene di opere classiche (ritratti, paesaggi ecc.); gentilmente ne chiedi il motivo, visto che avevi girato in lungo e in largo per trovare un regalo tanto originale!! Dal vostro dialogo emerge che avete idee molto diverse sull'arte.

2. *A* è un turista che visita per la prima volta la Galleria degli Uffizi. Poiché, come sempre, c'è una lunghissima fila, quando entra ha solo un'ora a disposizione e deve fare presto. Non sapendo molte cose e non avendo una guida, chiede ad un italiano che ha conosciuto in fila quali sono le opere che vanno assolutamente viste. *B* gli spiega alcune cose sulle sale e le opere più importanti.

Giorgio De Chirico, Volo

Fate il test finale dell'unità

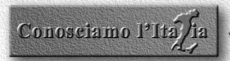
L'arte in Italia

Italia significa arte: è lì che si trova il 70% (!) del patrimonio artistico mondiale ed è lì che nacque il Rinascimento. D'altra parte, tutti i popoli che passarono dall'Italia lasciarono le loro tracce, influenzando anche la creazione artistica. Così, sparsi lungo la penisola italiana, troviamo esempi di **arte etrusca, greca** (come le famose statue chiamate *bronzi di Riace*), **romana** (come il *Colosseo*, p. 49), **paleocristiana** (nelle *catacombe* di Roma), **bizantina** (come la *Basilica di San Marco*, p. 37) e di vari **stili** come il **romanico** (ad es. il *Campanile* e *il Battistero* di Firenze, p. 42), il **gotico** (come il *Duomo* di Milano, p. 46), il **rinascimentale** (come nel '500 le opere di Michelangelo e di Leonardo, pp. 120-3), il **barocco** (come la *Fontana di Trevi*, p. 45) ecc. Vediamo alcuni importanti esponenti dell'arte italiana:

Botticelli, la Nascita di Venere

Sandro Botticelli (1445-1510) Uno dei primi grandi del Rinascimento, lavorò a lungo per i Medici di Firenze; così, in un clima letterario e filosofico, di cui fu promotore Lorenzo il Magnifico, creò le sue opere più celebri: la *Nascita di Venere*, la *Primavera* e *Pallade ed il Centauro*, tutte alla Galleria degli Uffizi. In esse Botticelli cerca un equilibrio tra realtà e mito, attraverso scene spesso allegoriche.

Raffaello (1483-1520) Le sue bellissime *Madonne* e lo *Sposalizio della Vergine* sono esempi del suo stile elegante e raffinato. Ma le sue opere più famose sono gli affreschi delle *Stanze Vaticane*, che decorò chiamato dal Papa. Il più noto di questi affreschi è forse *La scuola di Atene*: al centro del dipinto c'è Platone (con il volto di Leonardo) e Aristotele. In basso, solo e pensoso, c'è Michelangelo nei panni di Eraclito, mentre lo stesso Raffaello e il pittore Bramante appaiono come filosofi greci.

Raffaello, La Scuola di Atene

Tiziano (1490-1576) Dopo opere di soggetto profano-allegorico, diventò il pittore più rappresentativo di Venezia. Molto nota è la sua *Venere* nuda ed i suoi ritratti, come l'*Uomo col guanto* ed il *Ritratto di Carlo V*, nei quali riuscì a presentare in modo unico la psicologia dei suoi modelli.

Caravaggio, La vocazione di San Matteo

Tiziano, Madonna di Ca' Pesaro

Caravaggio (1571-1610) Uno dei grandi del periodo tra il Rinascimento ed il Barocco. Creò un'intera scuola (dei pittori "caravaggeschi") con il suo stile rivoluzionario, pieno di intensi contrasti tra luce e ombra. I suoi dipinti sono a volte violenti, altre sensuali, ma sempre realistici ed originali per la loro epoca. Purtroppo Caravaggio era un tipo che amava l'avventura: così morì ferito durante una lite a soli 39 anni, ma fece in tempo ad influenzare i maggiori pittori europei di quel periodo.

1. Dei quattro artisti era anche scultore

- ☐ a. Botticelli
- ☐ b. Raffaello
- ☐ c. Tiziano
- ☐ d. nessuno

2. "Giocava" molto con la luce

- ☐ a. Botticelli
- ☐ b. Raffaello
- ☐ c. Tiziano
- ☐ d. Caravaggio

3. Lavorò a lungo a Roma

- ☐ a. Botticelli
- ☐ b. Raffaello
- ☐ c. Tiziano
- ☐ d. Caravaggio

4. Rivoluzionò le tecniche usate fino allora

- ☐ a. Botticelli
- ☐ b. Raffaello
- ☐ c. Tiziano
- ☐ d. Caravaggio

- o Descrivete in breve le opere di queste pagine.
- o In base a quello che avete visto in questa unità, che cosa sapete del Rinascimento? Quali furono i suoi maggiori esponenti e quali sono le sue caratteristiche?
- o Quale delle opere di questa unità vi piace di più e perché?

La bellissima Pietà *di Michelangelo.*
(Roma, Basilica di San Pietro)

Su Internet potete trovare ulteriori informazioni sull'arte italiana, e perfino vedere moltissime opere, visitando "musei virtuali". Sempre meglio, però, visitarli dal vivo. Intanto, ecco qualche indirizzo utile:

www.arte.it
www.artonline.it
www.beniculturali.it
www.travel.it/roma/bramante/musvat.htm

Criminalità... e altre storie

Silvio e Claudia parlano di ciò che è, o non è, capitato alla loro amica Antonella.
Ascoltate il loro dialogo senza guardare il testo.

1 *Ascoltate di nuovo il brano e rispondete alle domande*

1. Silvio sembra preoccupato della situazione.
2. Claudia lo stesso.
3. A quanto pare, Antonella diceva la verità fin dall'inizio.
4. Silvio è un po' arrabbiato con lei.

	vero	falso

Silvio:	Andiamo di male in peggio!
Claudia:	Perché lo dici?
Silvio:	Ma non hai visto cos'è capitato ad Antonella? Ormai non si può circolare nemmeno di sera. Con tanti extracomunitari in giro...
Claudia:	Non credi di esagerare un po'? Dopotutto non è successo niente di così grave.
Silvio:	Ah, no? Vorrei vedere te, se ti fossi trovata di fronte a due delinquenti armati!
Claudia:	Ma che dici?! Chi ti ha raccontato queste storie?
Silvio:	Antonella. Mi ha chiamato terrorizzata subito dopo l'incidente e mi ha detto: "Stasera fuori casa mia ho visto due marocchini drogati; tenevano dei coltelli in mano e hanno cercato di ammazzarmi". Proprio così.
Claudia:	Io, invece, le ho parlato il giorno dopo che era più calma e mi ha raccontato che la sera prima, fuori casa sua, aveva visto due ragazzi, probabilmente italiani, i quali però tenevano dei cacciavite e non coltelli e che cercavano di rubare un motorino.
Silvio:	Ah, sì?! A me ha detto letteralmente: "Mi hanno aggredita e hanno cercato di violentarmi. Io mi sono messa a gridare aiuto e allora mi hanno picchiata".
Claudia:	Che strano! A me, invece, ha detto che i due ragazzi né l'avevano aggredita, né avevano cercato di violentarla. Ha detto solo che, spaventati, avevano cominciato a correre, che lei si era messa a urlare e loro le avevano detto di piantarla.
Silvio:	Ma guarda un po' quante esagerazioni! E, come se questo non bastasse, sai cos'altro mi ha detto? "Domani mattina andrò in questura a denunciare quel che mi è successo".
Claudia:	A me ha detto che non sarebbe andata in questura, poiché non era sicura di quel che era successo. Mi ha detto, invece, che sarebbe andata in una scuola di arti marziali.
Silvio:	E farà bene: un po' di karatè le sarà utile, perché se la vedo...

2 *Leggete il brano ad alta voce in modo quanto più "italiano" possibile, imitando magari la pronuncia e l'intonazione dei parlanti della cassetta; insomma, recitate leggendo*

3 *In base a quanto avete letto rispondete prima oralmente e poi per iscritto (15-20 p.) alle domande*

1. Che cosa ha detto Antonella a Silvio subito dopo l'incidente? ....
....
....

2. Che cosa ha detto invece a Claudia? ....
....
....

3. Antonella è andata in questura come aveva detto? ....
....

4. Perché le servirà il karatè? ....
....

4 *Silvio, pensando alle esagerazioni di Antonella, ne parla con Tullio, amico comune; completate il dialogo con le parole date*

Silvio:	Pfff! Donne!
Tullio:	Di nuovo?! Ma cosa ti hanno fatto questa volta?
Silvio:	Antonella! Ha inventato un'intera storia: che .... da due extracomunitari che la volevano ammazzare ecc.
Tullio:	Macché, non è vero?! Così ha detto anche a me: ".............................. .... due albanesi armati, ... di rubarmi il portafoglio e di .... ".
Silvio:	Che cosa?! Questa qua è una nuova versione! A me ha detto che .... due marocchini, che erano pure drogati e avevano cercato di violentarla e .... A Claudia, invece, ha detto che aveva solo visto due ragazzi che .... di rubare una moto.
Tullio:	Incredibile! Ma che fa, ci prende in giro? Può darsi che sia mitomane e inventi storie?
Silvio:	Almeno con Claudia ha ammesso che i due ragazzi, che scommetto non erano nemmeno stranieri, ... a correre e che lei, spaventata, si era messa ad urlare.
Tullio:	A me ha perfino detto: "Penso di cambiare quartiere; la zona in cui abito è piena di emigrati".
Silvio:	Ecco, vedi che ti possono fare la xenofobia e l'immaginazione?
Tullio:	Donne!

cercavano

è stata aggredita

ammazzarla

ammazzarmi

l'avevano aggredita

hanno cercato

Mi hanno aggredita

avevano cominciato

5 *In base a quanto avete letto scrivete un breve riassunto (80-100 p.)* **dei due dialoghi**

Discorso diretto e indiretto (I)

Nel passaggio dal discorso diretto a quello indiretto **se il verbo introduttivo è ad un tempo passato** (passato prossimo senza riferimento al presente, passato remoto, imperfetto) ci sono una serie di cambiamenti da fare. Vediamo quali tempi cambiano:

DISCORSO DIRETTO	DISCORSO INDIRETTO
PRESENTE (indicativo o congiuntivo) ⟿	**IMPERFETTO** (indicativo o congiuntivo)
Maria ha detto: "Non *sto* tanto bene".	Maria ha detto che non *stava* tanto bene.
Ha detto: "Penso che tu *abbia* torto".	Ha detto che pensava che io *avessi* torto.
IMPERFETTO (indicativo o congiuntivo) ⟿	**IMPERFETTO** (indicativo o congiuntivo)
Disse: "Da giovane *viaggiavo* spesso".	Disse che da giovane *viaggiava* spesso.
Disse: "Credevo che lui *fosse* a scuola".	Disse che credeva che lui *fosse* a scuola.
PASSATO PROSSIMO (indic. o cong.) ⟿	**TRAPASSATO PROSSIMO** (indic. o cong.)
Disse: "*Ho lavorato* per oltre 40 anni".	Disse che *aveva lavorato* per oltre 40 anni.
Mi disse: "Credo che Aldo *sia partito*".	Mi disse che credeva che Aldo *fosse partito*.
PASSATO REMOTO ⟿	**TRAPASSATO PROSSIMO**
Ha detto: "A vent'anni *andai* in Cina".	Ha detto che a vent'anni *era andato* in Cina.
TRAPASSATO PROSSIMO ⟿	**TRAPASSATO PROSSIMO**
Disse: "*Ero entrato* prima di te".	Disse che *era entrato* prima di lui.
FUTURO (O PRESENTE come futuro) ⟿	**CONDIZIONALE COMPOSTO**
Ha detto: "*Andrò* dal medico".	Ha detto che *sarebbe andato* dal medico.
Ha detto: "*Parto* stasera".	Ha detto che *sarebbe partito* quella sera.
CONDIZIONALE SEMPLICE - COMPOSTO ⟿	**CONDIZIONALE COMPOSTO**
Ha detto: "*Mangerei* un gelato".	Ha detto che *avrebbe mangiato* un gelato.
Ha detto: "*Sarei uscito*, ma piove".	Ha detto che *sarebbe uscito*, ma pioveva.

Ovviamente cambiano anche i **pronomi personali** e **possessivi,** che si mettono alla terza persona: Gianna ha detto: "*Io uscirò* con le *mie* amiche".

⟿ Gianna ha detto che *lei sarebbe uscita* con le *sue* amiche.

I cambiamenti principali sono:

io / tu / lui / lei ⟿ ***lui / lei*** noi / voi / loro ⟿ ***loro***	mio / tuo / suo ⟿ ***suo*** nostro / vostro / loro ⟿ ***loro***

6 *Trasformate oralmente le frasi al discorso indiretto*

1. "Mio padre è andato in pensione." Enrica ha detto che...
2. "Probabilmente venderò la mia macchina." Amedeo disse che...
3. "Quando ero piccola andavo spesso al mare." Amelia ha detto che...
4. "Penso che lei sia molto simpatica." Giorgio disse che...
5. "Forse voi non avete studiato abbastanza." Il professore ha detto che...
6. "Passeremmo volentieri le nostre vacanze a Capri." I signori Bassani dissero che...

Nel *Libro degli esercizi* vedete n. 1 - 5

7 *Con questa sua canzone Jovanotti, cantante amatissimo dai giovani, comunica alcuni messaggi veramente belli, espressi con un linguaggio moderno; leggetela e parlatene*

IO NO

C'è qualcuno che fa di tutto
per renderti la vita impossibile.
C'è qualcuno che fa di tutto
per rendere questo mondo invivibile.
Io no... Io no...
C'è qualcuno che dentro a uno stadio
si sta ammazzando per un dialetto.
E c'è qualcuno che da quarant'anni
continua a dire che tutto è perfetto.
C'è qualcuno che va alla messa
e si fa anche la comunione,
e poi se vede un marocchino per strada
vorrebbe dargliele con un bastone.
Ma a questo punto hanno trovato un muro
un muro duro, molto molto duro.
Siamo noi, siamo noi...
E c'è qualcuno che in una pillola
cerca quello che non riesce a trovare,
allora pensa di poter comprare

ciò che la vita gli può regalare.
Ci sono bimbi che non han futuro
perché da noi non c'è posto per loro.
Ci sono bimbi che non nasceranno
perché gli uomini si sono arresi.
Ma a questo punto hanno trovato un muro
un muro duro, molto molto duro.
Siamo noi, siamo noi...
Vorrei vedere i fratelli africani
aver rispetto per quelli italiani.
Vorrei vedere i fratelli italiani
aver rispetto per quelli africani,
per quelli americani,
per quelli africani.
E quelli americani per quelli italiani.
Quelli milanesi per quelli palermitani,
napoletani.
Roma, Palermo, Napoli, Torino.
Siamo noi, siamo noi...

Jovanotti

1. Di quali problemi sociali parla Jovanotti? ❑ droga, ❑ razzismo, ❑ violenza, ❑ ecologia, ❑ politica, ❑ povertà, ❑ criminalità, ❑ aborto, ❑ prostituzione, ❑ divario tra le generazioni, ❑ divario tra Nord e Sud, ❑ disoccupazione
2. Cosa intende quando dice *"C'è qualcuno che dentro a uno stadio si sta ammazzando per un dialetto"*? Scambiatevi idee.
3. E quando dice *"...allora pensa di poter comprare ciò che la vita gli può regalare"*?
4. Perché *"ci sono bimbi che non nasceranno"* e *"non han futuro"*?
5. Chi deve aver rispetto e per chi? Perché l'autore dice così?
6. Cos'è, secondo voi, il *"muro duro"*? È questo forse il verso chiave della canzone?
7. Oralmente cercate di volgere i versi al discorso indiretto; uno di voi comincia, un altro continua e così via: *Jovanotti ha detto che...*

8 Esprimere indifferenza

○ Stefania ha detto che avrebbe organizzato una festa per il suo compleanno.
◆ Non mi interessa affatto! Tanto, non mi invita mai!

○ Hai sentito? Pina si è laureata con 110 e lode!!!
◆ E allora?! Medicina non è poi tanto difficile!!!

○ Domenica cominciano i mondiali di calcio!
◆ Lo sai che del calcio non me ne importa niente!

○ Ricordi Susanna? L'ho vista l'altro giorno in tv: presenta un varietà!
◆ E con ciò? Chissà come ci sarà riuscita...

○ Dai, accendi il televisore: c'è stato un attentato a Palermo!
◆ Ma chi se ne frega di Palermo?! Sai quanto dista?!

○ È uscito il nuovo numero di *Dylan Dog*!
◆ Me ne infischio! Non posso capire che cosa ci trova la gente in questi fumetti moderni. Io resterò sempre un fan di *Topolino*!!!

9 ▷ Sei **A**: *informi, a modo tuo, B di:*

Role-play

◆ un premiato film giapponese che si dà in un cinema vicino
◆ un concerto che Amedeo Minghi terrà nella vostra città
◆ una gita al mare a cui siete invitati
◆ un salone di auto sportive appena inaugurato
◆ una partita a calcetto a cui potrete partecipare se vi sbrigate
◆ un utile libro sulle persone che non trovano niente d'interessante nella loro vita

▷ Sei **B**: *usando anche le espressioni di sopra, rispondi a quello che ti chiede* A

Discorso diretto e indiretto (II)

Nel passaggio dal discorso diretto a quello indiretto **cambiano anche tutti gli indicatori di spazio e tempo**, in modo da creare una certa distanza dai fatti raccontati.

DISCORSO DIRETTO	DISCORSO INDIRETTO
questo ⮂	**quello**
"*Queste* scarpe sono mie."	Ha detto che *quelle* scarpe erano sue.
qui ⮂	**lì**
"*Qui* fa un freddo cane!"	Ha detto che *lì* faceva un freddo cane.
ora (adesso, in questo momento)	**allora (in quel momento)**
"*Ora* non possiamo fare niente."	Disse che *allora* non potevano fare niente.
oggi ⮂	**quel giorno**
"*Oggi* tornano i miei."	Ha detto che *quel giorno* tornavano i suoi.
domani ⮂	**il giorno dopo**
"Partirò *domani*."	Ha detto che sarebbe partito *il giorno dopo*.
ieri ⮂	**il giorno prima**
"L'ho visto *ieri*."	Ha detto che l'aveva visto *il giorno prima*.
fra... ⮂	**...dopo**
"Tornerò *fra* tre giorni."	Ha detto che sarebbe tornato tre giorni *dopo*.
...fa ⮂	**...prima**
"Li ho visti due ore *fa*."	Ha detto che li aveva visti due ore *prima*.

10 *Trasformate le frasi dal discorso indiretto a quello diretto*

1. Mi ha promesso che non sarebbe uscito <u>quel giorno</u>. Ha promesso: ".."
2. Ha detto che era uscito solo cinque minuti <u>prima</u>. Ha detto: ".."
3. Disse che <u>lì</u> dentro non c'era niente. Disse: ".."
4. Ha detto che <u>quella sera</u> avrebbe guardato la tv. Ha detto: ".."
5. Disse che <u>il giorno dopo</u> avrebbe finito tutto. Disse: ".."
6. Ha detto che solo <u>allora</u> capiva. Ha detto: ".."

Nel *Libro degli esercizi* vedete n. 6 - 9

11 *Attraverso gli occhi ingenui di un bambino vediamo uno degli aspetti più preoccupanti della società moderna, ovviamente non solo italiana; completate il testo, dolce e nello stesso tempo tragico, inserendo una parola in ogni spazio*

Il fenomeno della droga

Io ho solo dieci anni, ma già da quattro-cinque anni conosco il fenomeno della droga. Già quando andavo all' ....(1) mia mamma mi diceva di non accettare mai caramelle drogate da nessuno, neanche se le offriva la maestra o il direttore. Una volta però la mia maestra me ne offrì una, e io mi dimenticai che era drogata, e me la mangiai lo stesso, ma poi stavo bene.

La droga è un ....(2) che uccide tutti, ma più i giovani; è una cosa molto dolce, come lo zucchero, ma non proprio. Essa prima ti ....(3) felice, poi diventi scemo. Nei tuoi ....(4) vedi tante farfalle, colori, arcobaleni, e vuoi volare. Poi finisce ....(5) e vedi solo Napoli! Per avere un ....(6) di droga bisogna spendere dieci milioni, ma i drogati sono tutti poveri e allora ....(7), fanno gli scippi, uccidono il padre e la madre.

Io conosco un drogato, ma non posso dire il nome; anche Giovanni lo conosce, e se vuole dire lui il nome è meglio! Questo drogato ....(8) di fronte a casa mia e quando scende la mattina non è drogato, ha gli occhi ....(9) e mi saluta. Poi la sera va a drogarsi vicino al Campo Sportivo, dove la luce è rotta. Lì si fa la siringa e quando torna a casa ....(10) come uno zombi.

A me i drogati mi fanno ....(11), ma ho paura. Però una volta avevo cinquecento lire in ....(12) e li buttai a un drogato che dormiva per terra e poi scappai. A me fanno più paura gli zingari...

tratto dal libro *Io speriamo che me la cavo* di Marcello D'Orta

USCIRE DALLA DROGA SE VUOI, INSIEME POSSIAMO.

Con me hai chiuso.

Volgete al discorso indiretto il terzo paragrafo del testo (Io conosco..): Il piccolo ha detto che...

12 *Questa scheda contiene alcuni recenti dati statistici; osservatela e parlatene*

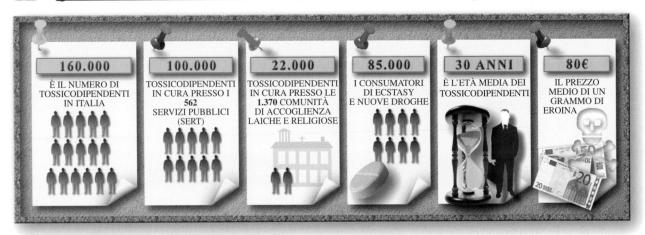

160.000	100.000	22.000	85.000	30 ANNI	80€
È IL NUMERO DI TOSSICODIPENDENTI IN ITALIA	TOSSICODIPENDENTI IN CURA PRESSO I 562 SERVIZI PUBBLICI (SERT)	TOSSICODIPENDENTI IN CURA PRESSO LE 1.370 COMUNITÀ DI ACCOGLIENZA LAICHE E RELIGIOSE	I CONSUMATORI DI ECSTASY E NUOVE DROGHE	È L'ETÀ MEDIA DEI TOSSICODIPENDENTI	IL PREZZO MEDIO DI UN GRAMMO DI EROINA

- ○ Quale di questi dati vi ha colpito di più e perché? Scambiatevi idee.
- ○ Quanto è sentito il problema nel vostro paese? Ci sono comunità terapeutiche e di accoglienza di tossicodipendenti? Cosa ne sapete? Sono efficienti secondo voi?
- ○ Cos'è la 'liberalizzazione' o 'legalizzazione' della droga? Scambiatevi opinioni pro o contro tale provvedimento e motivatele.

13 **Ascolto** *Ascoltate il testo e scegliete la frase giusta tra le quattro proposte*

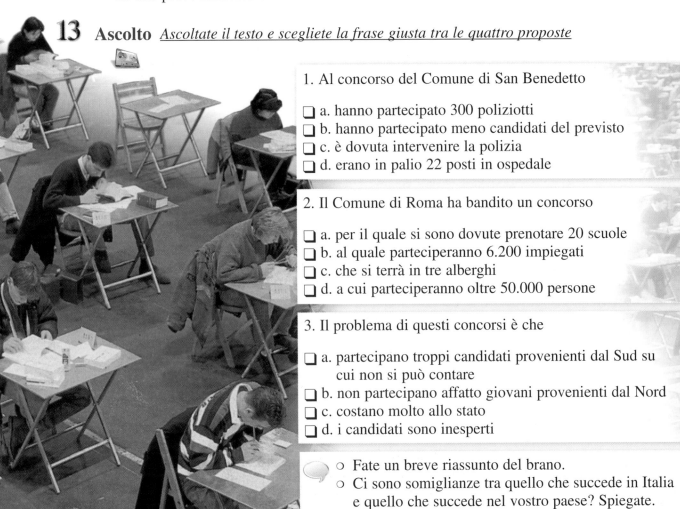

1. Al concorso del Comune di San Benedetto

- ☐ a. hanno partecipato 300 poliziotti
- ☐ b. hanno partecipato meno candidati del previsto
- ☐ c. è dovuta intervenire la polizia
- ☐ d. erano in palio 22 posti in ospedale

2. Il Comune di Roma ha bandito un concorso

- ☐ a. per il quale si sono dovute prenotare 20 scuole
- ☐ b. al quale parteciperanno 6.200 impiegati
- ☐ c. che si terrà in tre alberghi
- ☐ d. a cui parteciperanno oltre 50.000 persone

3. Il problema di questi concorsi è che

- ☐ a. partecipano troppi candidati provenienti dal Sud su cui non si può contare
- ☐ b. non partecipano affatto giovani provenienti dal Nord
- ☐ c. costano molto allo stato
- ☐ d. i candidati sono inesperti

- ○ Fate un breve riassunto del brano.
- ○ Ci sono somiglianze tra quello che succede in Italia e quello che succede nel vostro paese? Spiegate.

○ Quanto è sentito da voi il problema della disoccupazione, specialmente di quella giovanile? Ci sono regioni o zone che ne sono particolarmente colpite?

○ Chi di voi ha fatto un'esperienza simile a quella descritta nel testo? Ne parli.

Discorso diretto e indiretto (III)

Vediamo cosa altro cambia:

DISCORSO DIRETTO	DISCORSO INDIRETTO
imperativo ⮑	**di + infinito**
"*Parla* più piano!"	Mi ha detto *di parlare* più piano.
"*Venite* a casa mia stasera!"	Ci ha detto *di andare* a casa sua quella sera.
venire ⮑	**andare**
"*Vengono* spesso a farmi visita."	Disse che *andavano* spesso a farle visita.
domanda (al passato) ⮑	**se + congiuntivo o indicativo**
Gli ho chiesto: "Come *sta* tuo padre?"	Gli ho chiesto come *stesse (stava)* suo padre.
Le chiese: "*Hai visto* Marco?"	Le chiese se *avesse (aveva)* visto Marco.
domanda (al futuro) ⮑	**se + condizionale composto**
Mi ha chiesto: "A che ora *tornerai*?"	Mi ha chiesto a che ora *sarei tornato*.

Nel *Libro degli esercizi* vedete n. 10 - 12

14 *Leggete il brano e, poi, rispondete alle domande o completate le frasi (15-25 p.)*

"Vu' cumprà"

È brutto chiamare gli stranieri "vu' cumprà" o è anche un po' affettuoso? Sono troppi, non sappiamo come sistemarli, ma non si potrebbe anche tentare di conciliare una regola giusta con un comportamento umano? Proprio noi, che mandavamo in giro i nostri compatrioti con il passaporto rosso, ammucchiati sui piroscafi che li portavano, in ogni senso, in "terre assai luntane"?

Quante offese avevano sopportato i piccoli siciliani e i piccoli napoletani, sbarcati con la valigia di fibra e il bottiglione dell'olio a Ellis Island. Li chiamavano "testa di brillantina", per quei capelli lucidi e divisi dalla riga come li portava Rodolfo Valentino nel *Figlio dello sceicco*; "dago", che vuol dire uno che viene dall'Italia; o "maccaroni", che non ha bisogno di spiegazioni.

Molti non sapevano né leggere né scrivere, molti di loro ancora adesso dicono "giobbo" per lavoro. Non siamo tutti uguali e negli Usa mandammo Enrico Fermi e Al Capone, e pazienza: ci sono stati anche un Dillinger e Bonnie e Clyde e non erano di Castellammare del Golfo.

Però il razzismo non è sempre da ridere...

Pensavo a queste storie seguendo le cronache del parlamento e anche della malavita: e mentre davo il solito obolo al solito giovanotto dalla pelle scura che ti offre l'accendino. Anche tra loro ci saranno tipi di ogni genere: spacciatori di droga, delinquenti, ma circolano lavamacchine che hanno una laurea in ingegneria, o cameriere che possiedono un diploma. Certo, è una massa di disperati, che tentano di sopravvivere: so, quasi sempre, da dove vengono, quali tragedie lasciano alle spalle. Buttarli fuori è una crudeltà, ma lo è anche lasciarli andare alla ventura, quando c'è una mezza Italia che è una grande Harlem, o la periferia di Washington, le bidonvilles delle città americane, con tante antenne tv, e centinaia di migliaia di "vu' cumprà" bianchi, che sono nostri fratelli...

ridotto dal libro I come italiani di Enzo Biagi

1. Proprio gli italiani dovrebbero comportarsi bene con gli immigrati perché ....
....
....

2. Come erano i primi italiani arrivati in America? ....
....

3. I "vu' cumprà" dell'Italia di oggi sono ....
....

4. Definireste razzista l'atteggiamento dell'autore verso gli stranieri? ....
....

Un tipico "lavavetri"

○ Nel vostro paese il razzismo è un problema grave? Come si manifesta?

○ Ci sono molti extracomunitari? Da dove provengono? Come si comportano e come vengono trattati dallo stato e dalla gente?

○ Spesso, come abbiamo visto anche nel dialogo introduttivo, la colpa si dà ingiustamente agli immigrati: succede spesso? Se sì, perché secondo voi? Voi avete mai pensato o agito in modo 'razzista'?

○ Cosa si dovrebbe fare per far fronte a questo fenomeno? Scambiatevi idee.

Il periodo ipotetico nel discorso indiretto

Nel discorso indiretto tutti i tipi di periodo ipotetico si mettono al passato, quindi al 3° tipo. Vediamo:

DISCORSO DIRETTO	DISCORSO INDIRETTO
"Se *pioverà*, non *uscirò*." ☞	Ha detto che se *fosse piovuto*, non *sarebbe uscito*.
"Se *avessi* tempo, *viaggerei*." ☞	Disse che se *avesse avuto* tempo, *avrebbe viaggiato*.

Ovviamente il 3° tipo non cambia

Osservate:

Il *presente*, comunque, diventa *imperfetto*, quindi 3° tipo:

"Se *finisco* presto, *possiamo* vederci." ☞ Le disse che se *finiva* presto, *potevano* vedersi.

E, come sappiamo, l'*imperfetto* non cambia:

'Se *venivi*, *ti divertivi* molto." ☞ Gli ha detto che se *ci andava, si divertiva* molto.

Nel *Libro degli esercizi* vedete n. 13 - 15

15

Nel testo precedente Enzo Biagi ha parlato in breve dei delinquenti, e non solo, che l'Italia 'esportò' in America. Parliamo ora della mafia italiana che, grazie alle confessioni di alcuni suoi ex membri, i cosiddetti 'pentiti', viene combattuta con maggior successo. Ecco cosa dice, dunque, un pentito; completate le sue parole scegliendo le 10 parole giuste tra le 12 proposte

dovere / l'imprenditore / qualche / giustizia / civiltà / futuro / pubblici / qualcosa / criminale / vittime / versò / l'appello

IN TUTTA EUROPA ORMAI C'É CORRUZIONE.

COSÍ NON POSSIAMO PIÚ ESPORTARE NEANCHE QUELLA.

Ganci parla di omicidi e tangenti. E spiega perché
L'ho fatto per mio figlio

La strage di Capaci che costò la vita al giudice Giovanni Falcone. Ma anche altro.

Perché collaboro. Quando i magistrati gli hanno chiesto di uscire dall'organizzazione e di collaborare con la ....(1), il super pentito di Cosa nostra ha risposto così: "Voglio uscire da questa vita, voglio dare una lezione di ....(2) a tutti i componenti di Cosa nostra. Ho letto su *Famiglia Cristiana* ....(3) di don Ciotti, che invitava a collaborare per un ....(4) migliore. Io ho due bambini, non so se li perderò, spero che possano venire con me, per fargli capire qual è il bene e qual è il male. Perché avendo un padre mafioso, mio figlio, a 15-16 anni, ha già l'istinto di un ....(5). Perché un tempo io così ho cominciato..."

I costruttori? Cosa nostra. Sul mondo degli appalti pubblici: "È vero che i costruttori sono ....(6), ma è pure vero che sono opportunisti, perché tutti i lavori ....(7) passano da Cosa nostra. Il costruttore sa che deve lavorare e deve fare il suo ....(8) [e cioè versare la tangente alla mafia, n.d.r.*]. Per gli appalti c'era una cassa comune, ...(9) Cassina, costruì il prolungamento della circonvallazione. Il lavoro era cinque miliardi, duecento milioni li ....(10) a noi. Cento milioni andarono alla famiglia di Altarello, e cento alla cassa comune".

* nota del redattore

ridotto da *L'Espresso*

 Adesso fate un breve riassunto orale del testo (se volete anche per iscritto in 60-80 p.)

Se il discorso indiretto dipende da un verbo al presente

Se il verbo introduttivo è al presente o al passato prossimo (con riferimento al presente) **i tempi dei verbi e gli indicatori di spazio/tempo NON cambiano**:

Mario dice (ha detto poco fa): "Ieri *sono andato* al cinema".

➯ Mario dice (ha detto poco fa) che ieri *è andato* al cinema.

Cambiano comunque, come abbiamo visto, i pronomi personali e quelli possessivi:
Gianna dice: "Stasera *io uscirò* con le *mie* vecchie compagne di scuola".
➯ Gianna dice che stasera *lei uscirà* con le *sue* vecchie compagne di scuola.
Infine, cambia in ogni caso l'imperativo:
Diana dice a suo fratello: "*Smettila* di fare rumore".
➯ Diana dice a suo fratello *di smetterla* di fare rumore.

Nel *Libro degli esercizi* vedete n. 16 - 18

16 *Il pentito di prima ha confessato che aveva deciso di cambiare vita per i suoi figli. Vediamo ora cosa dice una donna incinta al bambino che aspetta*

A

Vorrei che tu fossi una donna. Vorrei che tu provassi un giorno ciò che provo io: non sono affatto d'accordo con mia madre la quale pensa che nascere donna sia una disgrazia. Lo so: il nostro è un mondo fabbricato dagli uomini per gli uomini, la loro dittatura è così antica che si estende perfino al linguaggio. Si dice uomo per dire uomo e donna, si dice bambino per dire bambino e bambina, si dice omicidio per indicare l'assassinio di un uomo e di una donna. [...] Eppure, o proprio per questo, essere donna è così affascinante. È un'avventura che richiede un tale coraggio, una sfida che non annoia mai. [...] Dovrai batterti continuamente. E spesso, quasi sempre, perderai. Ma non dovrai scoraggiarti. Battersi è molto più bello che vincere, viaggiare è molto più bello che arrivare: quando sei arrivato o hai vinto, avverti un gran vuoto. E per superare quel vuoto devi metterti in viaggio di nuovo, crearti nuovi scopi.

Oriana Fallaci

B

Ma se nascerai uomo io sarò contenta lo stesso. E forse di più perché ti saranno risparmiate tante umiliazioni, tanti abusi. Se nascerai uomo, ad esempio, non dovrai temere d'essere violentato nel buio di una strada. Non dovrai servirti di un bel viso per essere accettato al primo sguardo, di un bel corpo per nascondere la tua intelligenza. Non subirai giudizi malvagi quando dormirai con chi ti piace. Naturalmente ti toccheranno altre schiavitù, altre ingiustizie: neanche per un uomo la vita è facile, sai. Poiché avrai i muscoli più saldi, ti chiederanno di portare fardelli più pesanti. Poiché avrai la barba, rideranno se tu piangi e perfino se hai bisogno di tenerezza. Ti ordineranno di uccidere o essere ucciso alla guerra. Eppure, o proprio per questo, essere un uomo sarà un'avventura altrettanto meravigliosa. Se nascerai uomo, spero che sarai un uomo come io l'ho sempre sognato: dolce coi deboli, feroce coi prepotenti, generoso con chi ti vuole bene.

ridotto dal libro *Lettera ad un bambino mai nato* di Oriana Fallaci

_Senza preoccuparvi di parole sconosciute, indicate a quale paragrafo
corrisponde ogni affermazione_

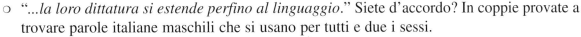

A B

1. Le donne hanno molte paure da superare. ☐ ☐
2. Una bella presenza è sempre un aiuto. ☐ ☐
3. A volte la lingua è poco democratica. ☐ ☐
4. Il risultato non è quel che conta di più. ☐ ☐
5. La vita è difficile per tutti. ☐ ☐
6. Bisogna sempre guardare avanti. ☐ ☐
7. Avrai più libertà. ☐ ☐
8. Sono le difficoltà che rendono la vita interessante. ☐ ☐

○ _"...la loro dittatura si estende perfino al linguaggio."_ Siete d'accordo? In coppie provate a trovare parole italiane maschili che si usano per tutti e due i sessi.

○ _"...viaggiare è molto più bello che arrivare."_ È così? Scambiatevi idee.

○ _"Poiché avrai la barba, rideranno se tu piangi..."_ Ma gli uomini non hanno il diritto di piangere, di essere affettuosi? Cosa ne pensano le donne di questo aspetto?

○ Oriana Fallaci scrisse questo libro negli anni '70. Cos'è cambiato da allora per la donna? Qual è la sua posizione sociale oggi? Esiste vera uguaglianza?

○ Secondo voi, per quale dei due sessi è più difficile la vita? Scambiatevi idee.

17   **Ascolto** _(Libro degli esercizi, p. 115)_

18   **Situazioni**

Tua figlia esce da tempo con un ragazzo e sembra molto felice. Un giorno ti annuncia che pensano di fidanzarsi ufficialmente, quindi lui vorrebbe venire a casa per conoscere l'intera famiglia. Ti rivela, però, anche un particolare: il ragazzo è tunisino! Quasi fulminato, cerchi invano di nascondere i tuoi sentimenti, un misto di sorpresa e rabbia, e di discutere con tua figlia; lei però è molto infastidita dal tuo comportamento, che trova addirittura razzista.

19   **Scriviamo**

1. Vivi da anni a Roma per motivi di studio. Un tuo vecchio amico (che non è mai stato in Italia) sta imparando l'italiano. Nel suo libro (_Progetto italiano 2_, appunto) ha letto dei problemi sociali dell'Italia (immigrati, delinquenza, disoccupazione giovanile ecc.). Incuriosito, ti scrive una lettera in cui ti chiede ulteriori informazioni. Tu rispondi per tranquillizzarlo e spiegare come stanno veramente le cose. (80-120 p.)

2. Scegli una frase del brano di Oriana Fallaci e commentala. (120-180 p.)

> **Fate il test finale dell'unità**

Problemi dell'Italia moderna

L'Italia è sicuramente uno dei paesi più belli del mondo, forse il più bello; tant'è vero che gli italiani stessi la chiamano "Belpaese". Per quanto questa penisola sia unica, però, non è perfetta; vediamo in breve alcuni dei suoi problemi.

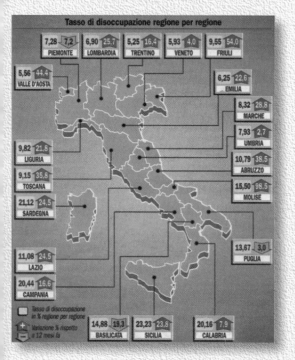

Tasso di disoccupazione regione per regione

7,28 7,2 PIEMONTE	6,90 25,7 LOMBARDIA	5,25 16,4 TRENTINO	5,93 4,0 VENETO	9,55 54,0 FRIULI
5,56 44,4 VALLE D'AOSTA				6,25 22,6 EMILIA
				8,32 28,8 MARCHE
				7,93 2,7 UMBRIA
9,82 21,8 LIGURIA				10,79 39,5 ABRUZZO
9,15 35,6 TOSCANA				15,50 99,5 MOLISE
21,12 24,5 SARDEGNA				
11,08 24,5 LAZIO				13,67 3,0 PUGLIA
20,44 16,6 CAMPANIA				

Tasso di disoccupazione in % regione per regione
Variazione % rispetto a 12 mesi fa

14,88 19,3 BASILICATA	23,23 23,8 SICILIA	20,16 7,9 CALABRIA

Questa statistica mette in evidenza uno dei grandi problemi dell'Italia di oggi, **la disoccupazione**. La situazione è ancora più difficile per i giovani che, alla disperata ricerca di un lavoro, partecipano in migliaia a concorsi che prevedono pochissimi posti. E, come sappiamo, la mancanza di lavoro provoca spesso altri problemi sociali, come la criminalità e la droga.

Ma la statistica rivela un altro aspetto negativo dell'Italia: il grande **divario tra Nord e Sud**. Non è solo il livello di disoccupazione che è nettamente più alto; il degrado economico del Mezzogiorno è purtroppo una realtà che ha una lunga storia e varie cause.

Una delle conseguenze, o forse delle cause, appunto, dei problemi del Sud è la **criminalità organizzata** di cui la *Mafia*, o *Cosa Nostra*, è il ramo più grande e noto, purtroppo non solo grazie ai film americani. Nata nell' '800, controlla oggi gran parte dell'attività economica della Sicilia, come pure il traffico di droga e di armi, contando spesso sul sostegno di politici e giudici corrotti. Quelli che la combattono sanno di rischiare la vita, come Giovanni Falcone e Paolo Borsellino, magistrati di Palermo, assassinati alcuni anni fa. Maurizio Costanzo, invece, famoso giornalista che ha lottato contro la mafia, è sopravvissuto agli attentati. In questa foto denuncia l'*omertà*, la legge, cioè, del silenzio e della passività del popolo davanti alla mafia. Negli ultimi anni, lo Stato ha potuto arrestare molti boss mafiosi, grazie alle testimonianze di uomini della malavita pentiti. In Campania la mafia si chiama *camorra*, mentre in Calabria *'ndrangheta*.

Negli ultimi anni preoccupante è l'aumento di quelli che vorrebbero vedere l'**Italia divisa** in due: il ricco ed efficiente Nord da una parte e il povero e corrotto Sud dall'altra. Il loro partito, la *Lega Lombarda*, ha già fondato una forma di pseudorepubblica, chiamata *Padania* (dal fiume Po). Speriamo che tutto questo rimarrà un brutto scherzo. Nella foto una sfilata delle camicie verdi leghiste durante una manifestazione.

Nonostante i problemi, sono migliaia gli **immigrati clandestini** che cercano ogni tanto di sbarcare sulle coste italiane in cerca di una vita migliore, che il più delle volte non trovano: alcuni perché vengono arrestati e rimpatriati subito, altri perché non possono trovare un lavoro. Questa a fianco è una foto storica e, nello stesso tempo, tragica: notate la disperazione dei profughi albanesi nel tentativo di salire sulla nave che li porterà a Bari.

Ma il problema più preoccupante dell'Italia di oggi e... di domani, è sicuramente il drammatico **calo delle nascite**. Il Belpaese ha, infatti, la più bassa percentuale di bambini per coppia in Europa: appena 1,17! D'altra parte, vivendo a lungo, gli italiani saranno presto una nazione di anziani. Già il crescente numero dei pensionati crea problemi all'economia, mentre le previsioni sono tutt'altro che ottimistiche, come potete leggere in questa statistica.

EUROPEI SEMPRE MENO
Proiezione della popolazione dell'Unione Europea dal 2005 al 2050 (in milioni)

	2005	2020	2050
Unione Europea	371,6	363,8	303,5
Austria	8,0	7,9	6,6
Belgio	10,1	9,9	8,4
Danimarca	5,2	5,1	4,3
Finlandia	5,1	5,0	4,2
Francia	58,0	59,3	52,3
Germania	81,5	79,1	63,4
Gran Bretagna	58,5	58,0	50,5
Grecia	10,4	10,4	9,1
Irlanda	3,6	3,7	3,1
Italia	57,3	52,8	40,5
Lussemburgo	0,4	0,4	0,4
Paesi Bassi	15,4	15,4	13,7
Portogallo	9,9	9,9	8,6
Spagna	39,2	39,2	30,5
Svezia	8,8	8,8	8,0

1. *Cosa Nostra*
- ❏ a. non esiste più
- ❏ b. ha spesso potenti alleati
- ❏ c. ha circa trecento anni di vita
- ❏ d. controlla l'economia del Nord

2. Lo Stato è riuscito a colpire la mafia grazie
- ❏ a. ad alcuni ex mafiosi
- ❏ b. all'omertà
- ❏ c. a Giovanni Falcone
- ❏ d. ai film americani

3. La *Padania* è
- ❏ a. un'organizzazione creata per il sostegno del Sud
- ❏ b. un riconosciuto stato autonomo
- ❏ c. una possibile minaccia per l'Italia
- ❏ d. un'organizzazione ecologica

4. In Italia
- ❏ a. c'è un tasso di nascite altissimo
- ❏ b. presto ci saranno troppi pensionati
- ❏ c. ci sarà un aumento della popolazione
- ❏ d. non ci sono problemi economici

Che bello leggere!

Un uomo sui venticinque anni si trova in una libreria. Senza guardare il testo,
ascoltate il suo dialogo con la commessa.

1 *Ascoltate di nuovo il brano e rispondete alle domande*

	vero	falso

1. L'uomo vuole comprare un libro per una sua amica.
2. A quanto pare, la commessa non lo può aiutare.
3. Questo perché non ha letto nessuno dei libri scelti.
4. Alla fine il cliente sceglie un libro di De Crescenzo.

cliente: Scusi, mi potrebbe aiutare? Sono un po' confuso.

commessa: Certo, signore. Ma, è per caso gemelli?

cliente: No, sono figlio unico, perché?

commessa: Niente, ho notato che ha cambiato più volte idea.

cliente: Sì, è vero, sono indeciso tra questi tre libri.

commessa: Volendo, li può comprare tutti e tre, sa!

cliente: Beh, non credo. Anche se leggere è la mia passione, lavorando molto, non ho abbastanza tempo libero. Al massimo un libro ogni due mesi!

commessa: Mica è ariete? Gli arieti, essendo grandi lavoratori, hanno poco tempo per altro.

cliente: Ma quale ariete, signorina! Piuttosto, saprebbe dirmi qualcosa su questo libro di De Crescenzo? Avendo letto una recensione, credo che sia interessante.

commessa: Ad essere sincera non l'ho letto; e poi combinare letteratura, mitologia e filosofia mi sembra un po' strano, nonostante l'umorismo dello scrittore.

cliente: A pensarci bene, forse è meglio qualcosa di meno pesante, magari più poetico, romantico.

commessa: Cancro?

cliente: Dio mio, cosa intende?!

commessa: Dico, è nato sotto il segno del cancro? Sono i più romantici, sa.

cliente: Ah, no, nemmeno. E di questo di Susanna Tamaro cosa ne pensa?

commessa: La Tamaro generalmente vende molto bene. Ma, visto l'insuccesso del suo romanzo precedente, non saprei. Poi, a dire la verità, non avendolo letto, non potrei esprimere un giudizio.

cliente: Ho capito. Probabilmente comprerò questo di Dacia Maraini. Ricordo di averne parlato con una mia amica; credo che sia proprio la scelta migliore.

commessa: Allora è vergine?! Ne sono sicura!

cliente: Non Le pare di essere un po' indiscreta?!

commessa: Mi scusi, intendevo il segno: i nati sotto il segno della vergine si fidano molto dei gusti altrui.

cliente: Ah! ...Senta, scelto il libro, posso darLe un consiglio? Invece di astrologia, perché non prova a leggere un po' di letteratura?

2 _Leggete il brano ad alta voce in modo quanto più "italiano" possibile, imitando magari la pronuncia e l'intonazione dei parlanti della cassetta; insomma, recitate leggendo_

3 _In base a quanto avete letto, rispondete prima oralmente e poi per iscritto (15-25 p.) alle domande_

1. Cosa pensano di Luciano De Crescenzo i due ragazzi? ....
....
....

2. Cosa dice la commessa del libro di S. Tamaro? ....
....
....

3. Che cosa c'è di strano nel suo comportamento? ....
....

4. Cosa dice alla fine il cliente alla commessa e perché? ....
....

4 _Enrico, il cliente che abbiamo visto prima, parla con una sua amica, Simona; con le parole date a fianco completate il loro dialogo_

Simona: Vedo che leggi ....! È così divertente il libro? _Enrico:_ Veramente sto pensando alla commessa della libreria. _Simona:_ Cosa aveva di tanto divertente? _Enrico:_ Appena ...., mi sono reso conto che lei mi osservava. Poi, dopo .... 2-3 libri, ho chiesto il suo aiuto. Sai, per me .... è sempre stato un problema. _Simona:_ Lo so...; allora? _Enrico_ Lei, ... che ero indeciso, mi ha chiesto se ero un gemelli! Io ho pensato che l'avesse detto così, per attaccare discorso. Le ho risposto di no e ho chiesto il suo parere sui libri che mi piacevano. _Simona:_ Almeno ti ha aiutato? _Enrico:_ ....? Figurati! .... solo libri di astrologia, non avrebbe potuto. A lei interessava solo sapere di che segno ero. Alla fine gliel'ho detto chiaro: "Perché non prova a leggere qualche libro di letteratura invece di queste sciocchezze sull'oroscopo?" _Simona:_ No!!! E lei, poverina, che ti ha detto? _Enrico:_ ...., ha subito risposto: "Ma io sono un pesce. Poi si sa che i pesci non leggono molto"! Ed io, ... questo, non ho potuto resistere e le ho chiesto: "E se Lei trovasse libri impermeabili?"!!!	_avendo_ _notato_ _entrato_ _aver scelto_ _Aiutarmi_ _sorridendo_ _Fissandomi_ _Avendo letto_ _sentito_ _decidere_

5 _In base a quanto avete letto scrivete un breve riassunto (80-100 p.) **dei due dialoghi**_

Gerundio semplice

lavor**are**	legg**ere**	usc**ire**
lavor**ando**	legg**endo**	usc**endo**

Il gerundio semplice (o presente) è indeclinabile; indica un'azione *contemporanea* a quella del verbo principale della frase, con cui ha lo stesso soggetto:
Uscendo, ho incontrato Gianna. (io) / Solo *studiando*, supererai l'esame. (tu) ecc.

Esprime:

azioni simultanee: Parlava *fumando*. (mentre fumava)
Guarderò la tv, *mangiando* uno yogurt. (mentre/quando mangerò)

modo (come?): Mi guardava *sorridendo*. / *Sbagliando*, s'impara.

causa (perché?): Non *stando* attenta, ha avuto un incidente. / *Mangiando*, è ingrassata.

un'ipotesi (se...): *Cercando*, potresti trovare un lavoro migliore. (se tu cercassi)
Andando a Roma, ne rimarrebbe incantato. (se andasse)

Gerundio composto

avendo bevuto / essendo andato/a/i/e

Il gerundio composto (o passato) esprime un'azione avvenuta prima di un'altra:
Avendo letto il libro, posso dire che non mi è piaciuto.
Essendo arrivati in ritardo, non sono potuti entrare.

6 *Completate le frasi con il gerundio adatto*

1. .... a casa, ho incontrato Damiano e Anna. | *Essendo*
2. .... una donna bella, è molto geloso. | *Tornando*
3. .... tardi, sono stati rimproverati dal loro padre. | *Avendo studiato*
4. .... una persona in gamba, presto sarà promosso. | *Avendo*
5. .... bene, sapeva tutte le risposte. | *Essendo tornati*

Il gerundio con i pronomi

Il *gerundio*, sia *semplice* che *composto*, forma un'unica parola con i pronomi di ogni tipo:

semplice
Vedendola entrare, l'ho salutata.
Scrivendole una poesia, l'ho conquistata.
Alzandosi presto, si sente stanco.
Parlandone, mi ha spiegato tutto.
Andandoci spesso, si divertono.

composto
Avendola vista, l'ho salutata.
Avendole scritto una poesia, l'ho conquistata.
Essendosi alzato presto, si sente stanco.
Avendone parlato, mi ha spiegato tutto.
Essendoci andati, si sono divertiti.

Nel *Libro degli esercizi* vedete n. 1 - 4

7 **A ogni segno un libro** _Siete invitati alla festa di compleanno di una persona di cui cono-_
scete solo la data di nascita. In base alle caratteristiche del suo segno cercate di scegliere tra i
libri proposti quello adatto, giudicando solo dal titolo. Lavorando in coppia, fate le combina-
zioni giuste e poi confrontatele; non è necessario conoscere ogni parola

Ariete Le parole d'ordine per gli appar-
tenenti al segno dell'ariete sono passio-
nalità e coraggio. Grandi lavoratori, preferiscono dedicare all'amore pochi, ma
intensi momenti.

Toro I nati del toro amano molto gli amici e la semplicità. Pazienti, ma poco romantici, preferiscono una lunga e tranquilla relazione.

Gemelli Spiritosi, intelligenti ed ecletti-
ci. Particolarmente sensibili agli stati d'a-
nimo e ai pensieri di chi li circonda, gio-
cano sulle frasi e le parole a doppio senso.

Cancro Sono i più romantici e sognatori
dello zodiaco; cercano negli altri tenerezza e protezione. Si nutrono di emozioni e
parole dolci e sono molto fedeli.

Leone Amano esibire la loro bellezza, sia
quella esteriore, sia quella interiore. Sono seducenti e hanno un'energia vitale
straordinaria. Ma si annoiano facilmente.

Vergine Le loro caratteristiche sono la
puntualità, la precisione e l'altruismo. Pur
essendo pratici, non hanno il coraggio di
esprimere i loro sentimenti. Perciò preferiscono scriverli.

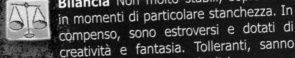

Bilancia Non molto stabili, soprattutto
in momenti di particolare stanchezza. In
compenso, sono estroversi e dotati di
creatività e fantasia. Tolleranti, sanno
evitare gli scontri con gli altri.

Scorpione Trasgressivi e provocatori,
sono anche molto ambiziosi e attratti dal
potere. Spesso si lasciano catturare da
relazioni difficili, ma sanno sempre ri-
prendersi dalle difficoltà.

Sagittario Molto ottimisti, non perdono
mai il loro buon umore. Si innamorano
facilmente, ma si sposano tardi, a volte
dopo lunghi fidanzamenti.

Capricorno Sono capaci di sopportare
a lungo la fatica, non sprecando tempo
né energia. Sono piuttosto longevi e con
gli anni sembrano ringiovanire.

Acquario Sono eccentrici, fantasiosi e
attratti dalla libertà di pensiero: gli studi
lunghi non sono per loro. Sanno stupire
con sorprese e idee all'avanguardia.

Pesci Per loro sono i sentimenti che
contano più della razionalità, essendo
forse troppo romantici. Alcune volte si
comportano in modo imprevedibile.

Dacia Maraini _La lunga vita di Marianna Ucrìa_	**Alberto Moravia** _La noia_
Niccolò Machiavelli _Il principe_	**Susanna Tamaro** _Va' dove ti porta il cuore_
Cicerone _L'amicizia_	**Alessandro Manzoni** _I promessi sposi_
Totò _Parli come badi_	**Luigi Pirandello** _Così è (se vi pare)_
Salvatore Quasimodo _Poesie_	**Eduardo De Filippo** _Gli esami non finiscono mai_
Cesare Pavese _Lavorare stanca_	**Ugo Foscolo** _Le ultime lettere di Jacopo Ortis_

○ Sono queste le caratteristiche del vostro segno? Parlatene.

○ In genere credete ai segni zodiacali? Consultate l'oroscopo e quanto vi influenza?

○ Conoscete qualcuno degli scrittori e dei libri citati? Scambiatevi informazioni.

○ In base a quali criteri si sceglie un libro? Voi siete soliti regalare libri o no e perché?

○ Ognuno parli dei libri che preferisce leggere: genere, scrittori ecc.

Infinito presente

L'infinito presente (o semplice) esprime un'azione contemporanea a quella
del verbo principale della frase (quando c'è). Lo usiamo:

in esclamazioni o interrogazioni: *Parlare* così a me! / *Comportarsi* così dopo tanti anni
che stavamo insieme! / *Uscire?* No, sono stanco. / E adesso, che *fare*? / A chi *rivolgersi*?

come soggetto: È bello *svegliarsi* tardi. / Non è ancora facile *leggere* un libro italiano.

come sostantivo: Farò il mio *dovere*. / Ha molti *poteri*. / Per me è un *piacere* parlare con te.
/ Tra il *dire* e il *fare* c'è di mezzo il mare. / Il suo *ripetere* le stesse cose mi stanca.

in istruzioni 'formali': Non *calpestare* le aiuole! / *Compilare* la scheda inserendo i propri
dati / *Premere* per prenotare la fermata / *Rispondere* alle domande.

in certe espressioni: Ad *essere* sincero... / A *dire* la verità... / A *pensarci* bene... / A *senti-re* Gianni, la situazione è difficile. / A *sentirli,* sembravano stranieri.

Attenzione!

Ho visto Nicola, *facendo* jogging. = L'ho visto mentre facevo jogging. (io-io)
Ho visto Nicola *fare* jogging. = L'ho visto che faceva jogging. (io-lui)

Infinito passato

L'infinito passato (o composto) esprime un'azione avvenuta prima di un'altra:

È venuta dopo **essere passata** dai suoi genitori.
All'una dovevo **aver** già **consegnato** la chiave.
Subito dopo **essermi laureato,** farò il militare.
Per non **essersi svegliato** in tempo, ha perso il treno.
Dopo **averla conosciuta**, non penso che a lei.

---

8 *Osservando le due schede completate le frasi con una o due parole*

1. Dopo .... tutto, andremo a bere qualcosa.

2. .... pesante?! Ma lo sai che sto a dieta.

3. Ho sentito i miei genitori .... di te.

4. Solo dopo .... in casa ho potuto calmarmi.

5. Ho capito l'articolo dopo .... tre volte!

6. Che cosa .... in una situazione del genere?

Nel *Libro degli esercizi* vedete n. 5 - 8

9 *Alberto Moravia e Italo Calvino sono tra i più importanti scrittori italiani del '900. Leggete i testi e individuate a quale dei due corrisponde ogni affermazione; non vi preoccupate di eventuali parole nuove*

Alberto Moravia (1907-1990)

Nato a Roma, Alberto Moravia è stato uno dei massimi narratori italiani e tra i più noti e tradotti del mondo. È diventato famoso a soli 22 anni con il suo primo romanzo - *Gli indifferenti* - che forse è il suo capolavoro. Il libro è un ritratto spietato della borghesia italiana di quel periodo, annoiata e inutile, in contrasto con l'ottimismo fascista.
Il suo stile severo, semplice e privo di eccessi ha fatto di Moravia uno dei maggiori esponenti del neorealismo italiano. A questo filone appartengono libri come *Agostino*, *La Romana* e *La Ciociara* (che il grande Vittorio De Sica trasformò in film con Sofia Loren). I *Racconti romani* e i *Nuovi racconti romani* sono strane e divertenti storie della Roma del dopoguerra, proprio come le hanno raccontate al cinema anche i registi neorealisti. Con libri come la *Noia* e *L'amore coniugale*, Moravia torna a criticare la classe borghese. Nelle sue ultime opere, come *Io e lui*, *La vita interiore* e *L'uomo che guarda* si orienta verso le tematiche della psicoanalisi.

Italo Calvino (1923-1988)

Calvino è forse il più giocoso e affascinante degli scrittori italiani post-bellici. Nacque a Cuba, ma crebbe a Sanremo, e dopo l'occupazione tedesca si unì ai partigiani dell'Italia settentrionale. Quell'esperienza gli ispirò il primo romanzo, *Il sentiero dei nidi di ragno*. Durante gli anni Cinquanta, Calvino scrisse forse le sue opere più note: *Il visconte dimezzato*, *Il barone rampante* e *Il cavaliere inesistente*, pubblicati in seguito in un unico volume con il titolo *I nostri antenati*. Questi "romanzi fantastici", come li definiva Calvino, sono una parodia della letteratura cavalleresca e abbondano di illusioni sul mondo contemporaneo. Dei libri successivi, dove l'elemento fiabesco è ancora più evidente, forse il più originale è *Le città invisibili*, profonda riflessione su come e perché le città siano costruite. Calvino usava quella che definiva una "lingua bianca", una lingua di grande purezza e luminosità. Altre sue opere da ricordare sono *Se una notte d'inverno un viaggiatore*, *Marcovaldo* e la grande raccolta di *Fiabe italiane*.

	Moravia	Calvino
1. Il suo talento è stato riconosciuto molto presto.	☐	☐
2. Ha tratto i suoi argomenti dalla società che lo circondava.	☐	☐
3. Le sue opere hanno un fascino particolare.	☐	☐
4. Ha combattuto per la Liberazione d'Italia.	☐	☐
5. Con il passare degli anni i suoi temi sono cambiati.	☐	☐
6. Ha dato una versione umoristica della storia.	☐	☐
7. Gli anni dell'immediato dopoguerra sono stati molto produttivi.	☐	☐
8. Alcuni suoi libri sono abbastanza provocatori.	☐	☐

o Che cosa hanno in comune i due scrittori?

o Che differenze notate nello stile e nelle tematiche che ognuno affronta?

o Da quello che avete letto, i libri di chi vi sembrano più interessanti (magari da leggere in futuro)? Scambiatevi idee e spiegatele.

o Che cosa sapevate dei due scrittori prima di leggere i testi? Cosa sapete di altri scrittori italiani, moderni e non? Scambiatevi informazioni.

o In 60-80 parole fate un breve riassunto dei due testi precedenti.

Participio presente

parlare	ridere	divertire
parl**ante/i**	rid**ente/i**	divert**ente/i**

Il participio presente può avere valore di:

aggettivo: Il libro era veramente *interessante*. / È molto *arrogante*.

sostantivo: I miei *assistenti*. / Una brava *cantante*. / La *corrente*.

verbo: Una squadra *vincente* (che vince) / Capelli *brillanti* (che brillano)

Participio passato

Oltre agli usi che abbiamo visto finora (formazione dei tempi composti e della forma passiva) il participio passato da solo può esprimere un'azione avvenuta prima di un'altra:

Finita la lezione, siamo usciti dalla classe. (= dopo che era finita la lezione)
Arrivati i miei genitori, andrò a letto. (= dopo che saranno arrivati i miei genitori)
Fatta una doccia, ti sentirai molto meglio. (= dopo aver fatto / facendo una doccia)
Una volta *partito,* non potei più tornare indietro.(= dopo essere partito / essendo partito)

10 *Completate le frasi con il participio presente o passato dei verbi*

1. Devo comprare una nuova .... laser.
2. Solo una volta .... di casa, ho notato che nevicava.
3. Ho aperto un nuovo conto .... alla Banca di Roma.
4. .... l'aria condizionata, abbiamo potuto dormire.
5. .... l'aspirina, il mal di testa mi è finalmente passato.
6. Essendomi perso, ho chiesto indicazioni ad un ....

stampare
uscire
correre
accendere
prendere
passare

Nel *Libro degli esercizi* vedete n. 9 - 12

11 **Ascolto** *Ascoltate il testo che tratta di due grandi scrittori del teatro italiano, Luigi Piran-dello ed Eduardo De Filippo, e completate le frasi (massimo 3 parole per ogni spazio)*

1. Nelle sue opere è diffusa l'idea che non esista ....

2. In *Sei personaggi in cerca d'autore* i personaggi pregano ....
.... dar loro ....

3. Nel 1934 Pirandello ricevette .... per ....
....

4. I suoi lavori sono pieni di ....

5. Eduardo De Filippo era insieme ...., ... e ....

6. Il protagonista di *Napoli milionaria* cerca di ....
e la dignità della sua famiglia, ...

7. Da *Filumena Marturano* è stato tratto il film "..."

8. Per riuscire a sposare Domenico, Filumena gli rivela che ....
.........................., ma non gli dice quale ....

uigi Pirandello

- ○ Che differenze o somiglianze trovate tra i due scrittori?
  Scambiatevi idee e motivatele.
- ○ Avete mai letto un libro o seguito una rappresentazione teatrale dei due scrittori? Esprimete la vostra opinione.
  Cosa ne pensate in base a quello che avete sentito?
- ○ Anche Eduardo De Filippo e Alberto Moravia hanno qualcosa in comune; cosa?

12 *Completate il testo inserendo una parola in ogni spazio*

Il successo: "Nel 1942, con i miei fratelli decidemmo di passare proprio al teatro, con una compagnia nostra e con copioni scritti da noi. Debuttammo a Milano, all'Odeon. Ma chi ci .... (1)? Le poltrone erano per metà vuote, però alla fine il pubblico .... (2): "Viva Napoli". Renato Simoni fece un lungo articolo e nei giorni seguenti tutte le file si riempirono. Cominciò la conquista del Nord".

Il più bel ricordo: "È nella mia città che ho .... (3) la commozione più profonda. Fu alla prima di *Napoli milionaria* nel '45. C'era la fame e tanta .... (4) disperata. Ottenni il San Carlo per una sera. [...] Io facevo Gennaro Esposito, un povero e bravo uomo, che viene .... (5) via dai tedeschi e quando torna trova un figlio ladro, la moglie che fa il mercato nero, si è arricchita, lo ha tradito, e la figlia ha fatto l'amore con un soldato americano. Sono dei cinici, ma Gennaro Esposito, con tolleranza, con comprensione, fa .... (6) ai familiari che non è finito niente, che la vita continua. Recitavo e sentivo .... (7) a me un silenzio terribile. Quando dissi l'ultima battuta: "Deve passare la notte" e scese il pesante velario, ci fu silenzio ancora, per otto, dieci secondi, poi scoppiò un applauso furioso e anche un .... (8) infrenabile; tutti avevano in mano un fazzoletto, tutti piangevano e anch'io piangevo, e piangeva anche Raffaele Viviani che era venuto ad abbracciarmi. Io avevo detto il dolore di tutti."

confessioni di Eduardo De Filippo a Enzo Biagi

Poster text:
TEATRO ELISEO
IL TEATRO DI **EDUARDO**
TITINA DE FILIPPO
MARTEDÌ 5
MERCOLEDÌ 6 ... 21
GIOVEDÌ 7 ... ore 17,30
Ultime e Definitive Repliche
A Grandissima Richiesta
A PREZZI POPOLARI
FILUMENA MARTURANO
Commedia in tre atti di EDUARDO
SERATA IN ONORE DI EDUARDO
Il berretto a sonagli   Oje Mari... Oje Mari...

Questa fotografia è stata scattata a Milano nel 1935 e ritrae Luigi Pirandello, al centro, con i tre fratelli De Filippo (da sinistra: Peppino, Eduardo e Titina). Il drammaturgo aveva una grande stima per i De Filippo, che avevano già interpretato con successo una sua commedia, "Il berretto a sonagli". Secondo lui costituivano una forza nuova e autentica del teatro.

○ Fate un riassunto del testo della pagina precedente.
○ Perché secondo voi il pubblico ha pianto quando ha sentito la battuta "Deve passare la notte"? Scambiatevi idee.

13 Scriviamo *Svolgete uno dei seguenti compiti (120-180 p.)*

1. La lettura di riviste, di fumetti, di giornali ecc. è un passatempo come un altro. La lettura di libri, però, specie letterari, è qualcosa di diverso: ogni libro in sé è un piccolo mondo, un invito alla riflessione, alla scoperta degli altri e, forse, di noi stessi. Siete d'accordo con questa affermazione? Che importanza hanno i libri per voi e quale genere in particolare? Perché?

2. Riassumete la trama di un libro che avete letto ultimamente o di uno che vi ha particolarmente colpito, spiegando anche perché.

14 *Leggete il sottostante pezzo di un'intervista fatta a Luciano De Crescenzo, uno degli scrittori italiani più amati e tradotti, e rispondete alle domande*

Prof. De Crescenzo, Lei propone spesso al grande pubblico i classici, dalla filosofia alla letteratura; a chi si rivolge in particolare?
Io vengo definito un divulgatore, cioè uno che scrive cose complicate in modo semplice; quindi per definizione un divulgatore si rivolge a un pubblico di massa. Fino a poco tempo fa avevano le chiavi in mano del paradiso letterario i critici letterari. Un autore che aveva scritto un libro, per farsi conoscere, doveva passare prima dalle terze pagine dei giornali. Oggi, grazie a Dio, e grazie ad alcuni nuovi strumenti, ci si può far conoscere da platee vastissime.

Quali sono questi nuovi strumenti?
Prima di tutto, la televisione: ai fini informativi rende più un "Maurizio Costanzo" che non un Enzo Golino, critico letterario dell'*Espresso*. Poi, oltre alla televisione, c'è Internet. Quando si racconta un libro su Internet, anche con poche frasi si fa conoscere il contenuto di questo libro a milioni di persone. Ci sono poi anche altri fenomeni, come i "fan club". Io, un pochino, mi vergogno di questa cosa. Finora c'erano i "Ramazzotti fan club", i "Maradona fan club", si è mai visto il "fan club" di uno scrittore? E invece sono sorti dei "fan club" a Roma, a Napoli e anche all'estero e io, di tanto in tanto, vado lì e incontro tutti questi ragazzi che mi vogliono bene e li informo di quello che succede.

E la tradizione letteraria?

Certo è che Kafka, nel corso della sua vita, vendette solo seicento copie, Svevo[1] anche meno, Leopardi[2] meno ancora. Però, credetemi, Leopardi non andò mai, nemmeno una volta, al "Maurizio Costanzo Show". Leopardi stava chiuso in una stanzetta e scriveva. Lo scrittore oggi si deve dar da fare per vendere e diffondere il suo libro. Deve sopportare qualsiasi fastidio, deve sopportare la folla...

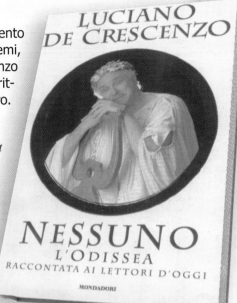

adattato dal caffè letterario *www.alice.it*

[1] Italo Svevo (1861-1928): uno dei più grandi scrittori italiani
[2] Giacomo Leopardi (1798-1837): tra i più importanti poeti a livello mondiale

- Fate un riassunto orale del testo.
- In che modo i "nuovi strumenti" hanno cambiato le abitudini e le usanze del circolo letterario? Come si informa oggi il pubblico sui nuovi libri?
- È giusto, secondo voi, quello che dice De Crescenzo, cioè che lo scrittore deve sopportare ogni fastidio, la folla ecc.? Scambiatevi idee.
- Cosa pensate di uno scrittore che parla ai membri del suo "fan club"? Spiegate.
- In quali punti è evidente l'umorismo di De Crescenzo?
- Sulla base di quanto avete letto, cosa pensate dello scrittore napoletano?
- Qual è il ruolo delle librerie in questo nuovo stato di cose? A voi piace andare in libreria o no e perché? Come sarebbe quella ideale, secondo voi?

Le parole alterate

Avrete forse notato che cambiando la terminazione di una parola, possiamo cambiare il suo significato: *caro-carino, bene-benino* ecc. Queste alterazioni possono essere relative alla **dimensione** (quindi di tipo *diminutivo/accrescitivo*), oppure alla **qualità** (quindi di tipo *peggiorativo/vezzeggiativo*). Vediamo quali sono queste alterazioni:

significato diminutivo:
-ino/a: *pensìerino, stradina, difficilino* ecc.
-ello/a: *alberello, asinello, storiella* ecc.
-etto/a: *casetta, piccoletto, libretto* ecc.

significato accrescitivo:
-one (masc.): *simpaticone, pigrone, ombrellone* ecc.
-ona (femm.): *casona*
Notate che molti nomi femminili diventano maschili: *donna-donnone* ecc.

significato peggiorativo/dispregiativo:
-accio/a: *tempaccio, ragazzacci, giornataccia, caratteraccio, parolacce* ecc.

significato vezzeggiativo:
-uccio/a: *fredduccio, casuccia, cappelluccio, avvocatuccio* ecc.

15 _Completate le frasi con la forma alterata adatta delle parole date_

1. Che ....! È da tre ore che piove a dirotto!
2. Allora, amore? Ti è piaciuto il mio ....?
3. Io non la trovo tanto bella, solo ....
4. Quando sono tornata lui mi aspettava davanti al mio ....
5. Direi che oggi faccia .... Ed è ancora maggio.
6. Mia moglie al supermercato ha bisogno di tre ....!

tempo
minestra
caro
porta
caldo
carro

Nel **_Libro degli esercizi_** vedete n. 13 - 16

16 _Il brano che segue è tratto da uno dei libri italiani più venduti nel mondo negli ultimi anni;_
leggetelo e rispondete alle domande

In quella notte all'improvviso mi ero accorta di una cosa, e cioè che tra la nostra anima e il nostro corpo ci sono tante piccole finestre, da lì, se sono aperte, passano le emozioni, se sono socchiuse filtrano appena, solo l'amore le può spalancare tutte assieme e di colpo, come una raffica di vento.

Nell'ultima settimana del mio soggiorno a Porretta siamo stati sempre assieme, facevamo lunghe passeggiate, parlavamo fino ad avere la gola secca. Com'erano diversi i discorsi di Ernesto da quelli di Augusto! Tutto in lui era passione, entusiasmo, sapeva entrare negli argomenti più difficili con una semplicità assoluta. Parlavamo spesso di Dio, della possibilità che, oltre la realtà tangibile, esistesse qualcos'altro. Lui aveva fatto la resistenza, più di una volta aveva visto la morte in faccia. In quegli istanti gli era nato il pensiero di qualcosa di superiore, non per la paura ma per il dilatarsi della coscienza in uno spazio più ampio. "Non posso seguire i riti", mi diceva, "non andrò mai in un luogo di culto, non potrò mai credere ai dogmi, alle storie inventate da altri uomini come me." Ci rubavamo le parole di bocca, pensavamo le stesse cose, le dicevamo allo stesso modo, sembrava che ci conoscessimo da anni anziché da due settimane.

Ci restava poco tempo ancora, le ultime notti non abbiamo dormito più di un'ora, ci addormentavamo il tempo minimo per riprendere le forze. Ernesto era molto appassionato all'argomento della predestinazione. "Nella vita di ogni uomo", diceva, "esiste solo una donna assieme alla quale raggiungere l'unione perfetta e, nella vita di ogni donna, esiste un solo uomo assieme al quale essere completa." Trovarsi però era un destino di pochi, di pochissimi. Tutti gli altri erano costretti a vivere in uno stato di insoddisfazione, di nostalgia perpetua. "Quanti incontri ci saranno così", diceva, "uno su diecimila, uno su un milione, su dieci milioni?" Uno su dieci milioni, sì. Tutti gli altri sono aggiustamenti, simpatie epidermiche, transitorie, affinità fisiche o di carattere, convenzioni sociali. Dopo queste considerazioni non faceva altro che ripetere: "Come siamo stati fortunati, eh? Chissà cosa c'è dietro, chi lo sa?"

Il giorno della partenza, aspettando il treno nella minuscola stazione, mi ha abbracciato e mi ha bisbigliato in un orecchio: "In quale vita ci siamo già conosciuti?" "In tante", gli ho risposto io, e ho cominciato a piangere. Nascosto nella borsetta avevo il suo recapito di Ferrara.

tratto dal libro di Susanna Tamaro _Va' dove ti porta il cuore_

1. Alla protagonista piaceva tra l'altro

  ❏ a. il modo in cui Ernesto concepiva il mondo
  ❏ b. il fatto che non credesse in Dio
  ❏ c. il suo esprimersi in modo semplice
  ❏ d. che era stato un eroe

2. Era molto importante che lei ed Ernesto

  ❏ a. ormai si conoscevano da tanti anni
  ❏ b. potevano comunicare in modo incredibile
  ❏ c. amavano le stesse cose
  ❏ d. erano tutti e due liberi

Susanna Tamaro

3. Secondo Ernesto, gli uomini

  ❏ a. hanno molte possibilità di trovare la persona che cercano veramente
  ❏ b. sono destinati a rimanere soli per tutta la vita
  ❏ c. troveranno eventualmente la loro metà ideale
  ❏ d. devono spesso accontentarsi di relazioni poco profonde

17 Ascolto *(Libro degli esercizi, p. 124)*

18 Situazioni

PER ESEMPIO   di Altan

MI DIA QUALCOSA
CHE MI AIUTI
A SCOPRIRE
LA MIA SPIRITUALITÀ.

SETTIMANA
ENIGMISTICA?

1. Fra poco cominciano le vacanze (guarda caso!) e con un amico vi state preparando (buon divertimento!). Visto che vi tocca viaggiare parecchie ore, sia all'andata che al ritorno, tu proponi di fare un salto in libreria per comprare ... qualche chilo di libri freschi! Il tuo amico però non ne vuole sapere: per lui vacanza significa riposo, quindi al massimo alcune riviste bastano. Tu, appassionato lettore, cerchi di spiegargli che non è affatto così.

2. In vista delle vacanze estive, entri in una libreria italiana e chiedi alla commessa qualche suggerimento su cosa comprare. Lei ti dà in breve delle informazioni su scrittori e libri importanti. Alla fine ne scegli uno e te ne vai contento.

19 Scriviamo

Hai appena letto un libro italiano che ti è piaciuto moltissimo. Scrivi una lettera ad un/un'amico/a italiano/a e racconti questa esperienza inaspettata. Inoltre, lo/la preghi di suggerirti libri veramente interessanti e adatti ai tuoi gusti. (80-120 p.)

Fate il test finale dell'unità

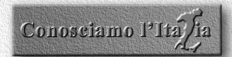
Breve (che più breve non si può) storia della letteratura italiana

Dante e la montagna del Purgatorio

Dalle origini all' '800

Dante Alighieri (1265-1321) è il padre della letteratura ed anche della lingua italiana. Nella sua opera più nota, *La Divina Commedia*, uno dei capolavori della letteratura mondiale, racconta il suo viaggio immaginario nel regno dei morti. Con il poeta latino Virgilio, attraversa prima l'*Inferno* e poi il *Purgatorio*; infine, il *Paradiso*, guidato dalla bella Beatrice.

La *Commedia*, inoltre, era la prova che la lingua italiana (il "volgare") e, in particolare il dialetto fiorentino che usava Dante, poteva esprimere altissimi ideali; così ebbe inizio la sua diffusione a discapito del latino.

Francesco Petrarca e **Giovanni Boccaccio** sono gli altri due grandi di questo periodo. Nel divertentissimo, quanto provocatorio *Decameron* di Boccaccio, dieci giovani raccontano ognuno una storia al giorno, di solito su amori e avventure; un libro che precorre i tempi.

Attraverso il Rinascimento, con esponenti importanti come **Ludovico Ariosto** (*Orlando Furioso*) e **Torquato Tasso**, il Barocco e poi l'Illuminismo, di cui i più noti esponenti furono **Carlo Goldoni** con le sue commedie teatrali (*La locandiera, il Servitore di due padroni* ecc.) e **Vittorio Alfieri**, arriviamo ad un altro importante periodo della letteratura italiana, il Romanticismo.

Nella sua bellissima poesia *I Sepolcri*, **Ugo Foscolo** (1778-1827) parla dell'importanza che hanno le tombe, poiché costituiscono un legame tra vivi e morti e un ricordo degli eroi di un popolo. Nel suo romanzo *I promessi sposi*, **Alessandro Manzoni** (1785-1873) narra le sventure di due giovani innamorati nella Lombardia del '600, al tempo della peste; i due protagonisti sono persone del popolo (una novità per i romanzi dell'epoca) che alla fine vengono salvati dalla Provvidenza. Con le sue opere, Manzoni fu uno dei primi a formulare l'idea di un'Italia unita e libera. **Giacomo Leopardi** (1798-1837), infine, fu il più grande poeta italiano dell' '800. Delle sue bellissime e di solito pessimistiche poesie vanno segnalate *Alla luna* e *L'infinito*. Il secolo si concluse con un'altra corrente, il verismo, il cui maggior rappresentante fu **Giovanni Verga** con *I Malavoglia*.

Giacomo Leopar...

○ Perché Dante è considerato il padre della lingua italiana?
○ Degli scrittori citati nel testo quali scrissero opere divertenti?
○ Chi di loro, invece, espresse ideali più profondi?
○ Fate un breve (80-100 p.) riassunto della storia letteraria d'Italia dal '300 all' '800.

La letteratura italiana del '900

Oltre agli importanti scrittori del XX secolo che abbiamo visto nel corso dell'unità, diamo un'occhiata ad alcuni casi particolari.

Italo Svevo (1861-1928) fu uno dei grandi romanzieri del '900, anche lui, come Pirandello alla ricerca dell' "Io". Nel libro *La coscienza di Zeno*, si occupa della costante battaglia del protagonista con se stesso, battaglia che perde ogni giorno. Belli anche i romanzi *Una vita* e *Senilità*.

Umberto Eco (1932) è famosissimo; professore universitario di semiotica, dispone di una vastissima cultura. La sua prima opera letteraria, *Il nome della rosa*, è stata un "best seller" mondiale, grazie anche al film che ne è stato tratto. Molto interessanti anche i suoi libri successivi, *Il pendolo di Foucault*, *L'isola del giorno prima* e *Baudolino*, mentre in unità precedenti abbiamo visto esempi dal suo intelligente e divertente *Secondo diario minimo*.

I "nobelisti"

Sei sono gli italiani a cui è stato assegnato finora il Nobel per la letteratura: il primo è il poeta **Giosuè Carducci** (*Rime nuove* ecc.) nel 1906, la seconda è la romanziera **Grazia Deledda** (*Elias Portolu* ecc.) nel 1926, dopo il grande **Luigi Pirandello** nel 1934 (vedete p. 151), ed infine i poeti **Salvatore Quasimodo** (*Ed è subito sera* ecc.) nel 1959 ed **Eugenio Montale** (*Ossi di seppia* ecc.) nel 1975.
Nel 1998, a sorpresa, il Nobel è stato assegnato a **Dario Fo**, scrittore ed attore del teatro satirico, a volte rivoluzionario, ma sempre originale e divertente. Tra le sue opere più note sono *Mistero Buffo*, *Morte accidentale di un anarchico* e tante altre.

La letteratura al femminile

Molto famose all'estero sono anche alcune scrittrici italiane: segnaliamo **Oriana Fallaci** (*Lettera ad un bambino mai nato*, *Un uomo*, *Insciallah* ecc.), **Elsa Morante** (*Menzogna e sortilegio* ecc.), **Dacia Maraini** (*Bagherìa*, *La lunga vita di Marianna Ucrìa* ecc.) e **Susanna Tamaro** (*Va' dove ti porta il cuore*, *Anima mundi* ecc.)

Dario Fo

Se desiderate sapere più cose sulla letteratura italiana e sulle sue novità, potete visitare:
www.alice.it
www.liberliber.it
www.rcs.it/libri
www.italialibri.net

A questo punto *Progetto italiano 2* si conclude. Speriamo di non avervi tormentato molto! Però pazienza e non vi disperate! Il viaggio attraverso la lingua e la cultura italiana continua: appuntamento a *Progetto italiano 3*. A presto!

INDICE GENERALE

Modifiche/aggiornamenti della IV edizione

	III edizione	**IV edizione**
pag. 9 (esercizio 4 - 7ª battuta)	... darà una parte solo:	... darà solo una parte:
pag. 12 (dialogo - 7ª battuta)	Ma chi doveva dirGlielo,	Ma chi doveva dirglielo,
pag. 18 (1° testo - 3° paragrafo)	non c'è più soltanto una maestra,	non c'è più la maestra,
pag. 18 (1° testo - 3° paragrafo)	stranieri sono doppiati non	stranieri siano doppiati non
pag. 18 (1° testo - 3° paragrafo)	... la *licenza elementare*	... la *licenza media*
pag. 18 (1° testo - 3ª domanda)	a. non è di un tipo solo	a. non è soltanto di un tipo
pag. 18 (2° testo - 1° paragrafo)	stranieri	stranieri (extracomunitari)
pag. 19 (2° testo - 3° paragrafo)	varia dai 4 ai 6 anni	varia dai 3 ai 6 anni
pag. 19 (2° testo - 4° paragrafo)	devono intanto pagare	devono, comunque, pagare
pag. 20 (esercizio 1 - 2ª domanda)	che le hanno mandato	che le avevano mandato
pag. 20 (esercizio 1 - 2ª domanda)	non erano ancora arrivati.	non sono ancora arrivati.
pag. 21 (esercizio 4 - 2ª battuta)	*Eva*: Sì, è il motivo ...	*Eva*: Sì, e il motivo ...
pag. 25 (esercizio 13 - frase 6)	Non so di chi state parlando.	Non so di chi stiate parlando
pag. 29 (dialogo - 7ª battuta)	molto amici con i tuoi.	molto amici dei tuoi.
pag. 31 (esercizio 24 - attività 1)	e qualche documento.	e un documento.
pag. 32 (2° testo - 1° paragrafo)	latticini (*Parmalat, Danone* ecc),	latticini (*Parmalat* ecc.),
pag. 32 (didascalia - foto)	come la 500 (o "topolino"), che	come la 500, che
pag. 37 (testo - M. Cacciari)	Cacciari, sindaco di	Cacciari, ex sindaco di
pag. 45 (testo su Roma - 2° paragr.)	ammirarne i splendidi	ammirarne gli splendidi
pag. 45 (testo su Roma - il Foro)	di Roma antica	della Roma antica
pag. 45 (testo su Roma - San Pietro)	fedeli da un balcone della basilica.	fedeli presenti in Piazza.
pag. 45 (testo - ultimo paragrafo)	*Castel San Angelo,*	*Castel Sant'Angelo,*
pag. 46 (testo su Milano - 3° paragr.)	più di quanto si divertono.	più di quanto si divertano.
pag. 47 (testo su Venezia)	esempio dell'arte bizantina.	esempio di arte bizantina.
pag. 50 (esercizio 6 - frase 3)	in una città grande.	in una grande città.
pag. 54 (esercizio 11 - 3ª domanda)	Molte volte scene violenti	Molte volte scene violente
pag. 54 (tabella - verbi irregolari)	(ed i loro derivanti)	(ed i loro derivati)
pag. 58 (2° testo - 1° paragrafo)	e l'Italia tornò ...	e parte dell'Italia tornò ...
pag. 58 (3ª domanda)	gli avvenimenti occorsi nel periodo	gli avvenimenti del periodo
pag. 59 (2° testo - 2° paragrafo)	arrivarono in Italia,	arrivarono nel nord Italia,
pag. 60 (dialogo -15ª battuta)	qualche complemento nutritivo	qualche integratore, no?
pag. 67 (2ª tabella - congiuntivo)	(oggi, contemporaneamente)	(oggi, nel presente)
pag. 68 (esercizio 14 - 3ª domanda)	o di qualcosa veramente	o di qualcosa di veramente
pag. 71 (esercizio 20)	D'altra parte, cosa ci offre	Dall'altra parte, cosa ci offre
pag. 73 (didascalia - foto sul Giro)	Organizzata per la	Organizzato per la
pag. 74 (esercizio 1 - 2ª domanda)	è appassionata dell'opera	è appassionata di opera
pag. 74 (dialogo - 3ª battuta)	me ne vada due ora prima?	me ne vada due ore prima?
pag. 75 (dicitura esercizio 4)	in cui i ruoli sono contrari;	in cui i ruoli sono diversi;
pag. 77 (dicitura esercizio 8)	uno dei testi che segue e	uno dei testi che seguono e
pag. 77 (dicitura esercizio 8)	scambiatevi testi e	scambiatevi i testi e
pag. 80 (dicitura esercizio 12)	Formate frasi orale	Formate frasi orali
pag. 80 (esercizio 12 - frase 6)	retta a ciò dice il	retta a ciò che dice il
pag. 83 (tabella - indefiniti)	qualche miliardo solo!	solo qualche miliardo!
pag. 85 (tabella - indefiniti)	Ti starò vicina per qualunque	Ti starò vicina qualunque
pag. 85 (esercizio 20)	hai mai ascoltato tanto.	hai mai ascoltata tanta.
pag. 87 (3ª domanda)	a. un buon compositore	a. un bravo compositore
pag. 92 (tabella - congiuntivo)	(oggi, contemporaneamente)	(oggi, nel presente)
pag. 100 (testo - 2° paragrafo)	tutti al Nord	quasi tutti al Nord
pag. 101 (2ª didascalia - foto Vesuvio)	alla partecipazioni di tutti.	alla partecipazione di tutti.
pag. 102 (esercizio 1 - 4ª domanda)	s'interessa solo di ragazze.	s'interessa solo alle ragazze.
pag. 105 (es. 9 - 2° mini dialogo)	E il tempo per leggerli	E il tempo per leggerle
pag. 107 (testo - 2° paragrafo)	navigare su Internet	navigare in Internet
pag. 108 (es.15 - 10ª affermazione)	nei loro e-mail.	nelle loro e-mail.
pag. 111 (tabella - Usi di *ne*)	Quanti e-mail...? Ne ricevo parecchi	Quante e-mail...? Ne ricevo parecchie.
pag. 119 (attività 8 - 1° mini dialogo)	Peccato che era solo ...	Peccato che fosse solo ...
pag. 121 (att.11 - 3ª affermazione)	con lo stesso argomento.	con lo stesso tema.
pag. 123 (esercizio 14 - testo)	all'umidità, l'inquinamento	all'umidità, all'inquinamento
pag. 127 (es. 21 - 1ª situazione)	girato in lungo e largo	girato in lungo e in largo
pag. 142 (testo - 4° paragrafo)	il ricco ed efficace Nord	il ricco ed efficiente Nord
pag. 144 (dialogo - commessa)	Tamaro generalmente	La Tamaro generalmente
pag. 146 (tabella - gerundio)	(mentre/quando guarderò)	(mentre/quando mangerò)
pag. 149 (4ª affermazione)	per l'Unità d'Italia.	per la Liberazione d'Italia.
pag. 150 (tabella - part. passato)	siamo usciti di classe.	siamo usciti dalla classe.
pag. 155 (1ª domanda)	b. ... non credeva in Dio	b. ... non credesse in Dio
pag. 155 (2ª domanda)	b. ... in un modo incredibile	b. ... in modo incredibile
pag. 155 (esercizio 19)	libri che sono veramente interessanti	libri veramente interessanti
pag. 157 (2° testo - 2° paragrafo)	1998, a sorpresa di molti, il Nobel	1998, a sorpresa, il Nobel

Tutti i siti Internet presenti nel libro sono stati riveduti e, dove necessario, aggiornati. Inoltre, i prezzi in lire sono stati aggiornati in euro, (tranne nei brani autentici).

Infine, nei dialoghi delle pp. 8, 12, 20, 26, 48, 60, 74, 88, 102, 116, 144 le forme grammaticali non sono più evidenziate affinché gli studenti possano concentrarsi meglio sul contenuto e scoprire pian piano e in modo induttivo questi nuovi elementi.

INDICE GENERALE